ニュートン超図解新書

最強に面白い周期表

はじめに

ロシアの化学者のドミトリ・メンデレーエフ（1834～1907）は，化学の教科書を執筆しながら，元素をどのように紹介したらいいだろうかと考えていました。「次々に発見される元素をどう整理するか」という問題は，当時の化学者たちの議論の的となっていました。発見された元素を軽い順番に並べてみたところ，何らかの規則性がひそんでいるようだったからです。

そこでメンデレーエフは，元素を一つ一つカードに書いて並べて，元素を紹介するのに都合のよい並びを探しました。そして1869年，ついに決定版といえる元素の一覧表を発表しました。それが，世界ではじめての元素の「周期表」です。

本書は，周期表と全118種類の元素を，楽しく学べる1冊です。“最強に”面白い話題をたくさんそろえましたので，どなたでも楽に読み進めることができます。周期表に並んでいる118種類の元素が，きっと身近に感じられるはずです。どうぞお楽しみください！

ニュートン超図解新書

最強に面白い
周期表

第1章
周期表とは何だろうか？

第2章
周期表を読み解こう！

第3章
全118元素を徹底紹介

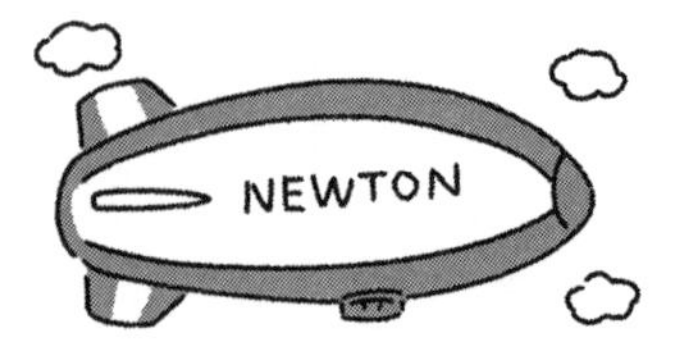

第3周期

第4周期

第5周期

第6周期

第7周期

【本書の主な登場人物】

ドミトリ・メンデレーエフ
（1834～1907）
ロシアの化学者。周期表を考案したほか，未知の元素の存在と性質を予言した。

男子中学生

女子中学生

金魚

元素の周期表

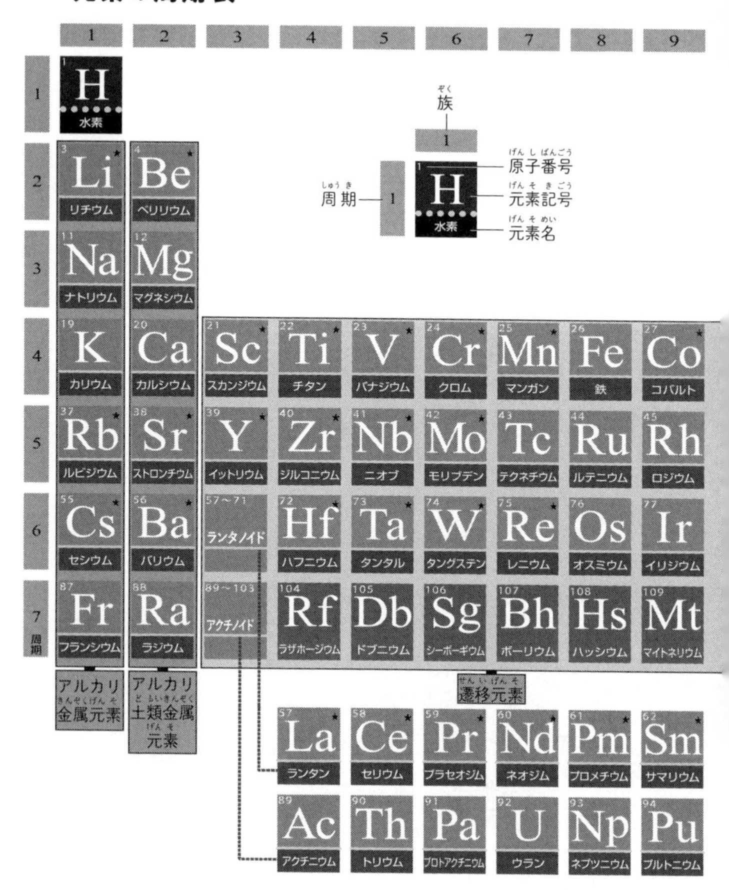

■「金属」に分類される元素
■「非金属」に分類される元素
★「希少元素(レアメタル)」とよばれる元素

…… 単体が気体の元素(25℃, 1気圧)
〜〜 単体が液体の元素(25℃, 1気圧)
── 単体が固体の元素(25℃, 1気圧)

注：104番以降の元素の性質は不明です。希少元素の明確な定義はありません。本書では，物質・材料研究機構のウェブサイト(https://www.nims.go.jp/research/elements/rare-metal/study/index.html)を参照しました。

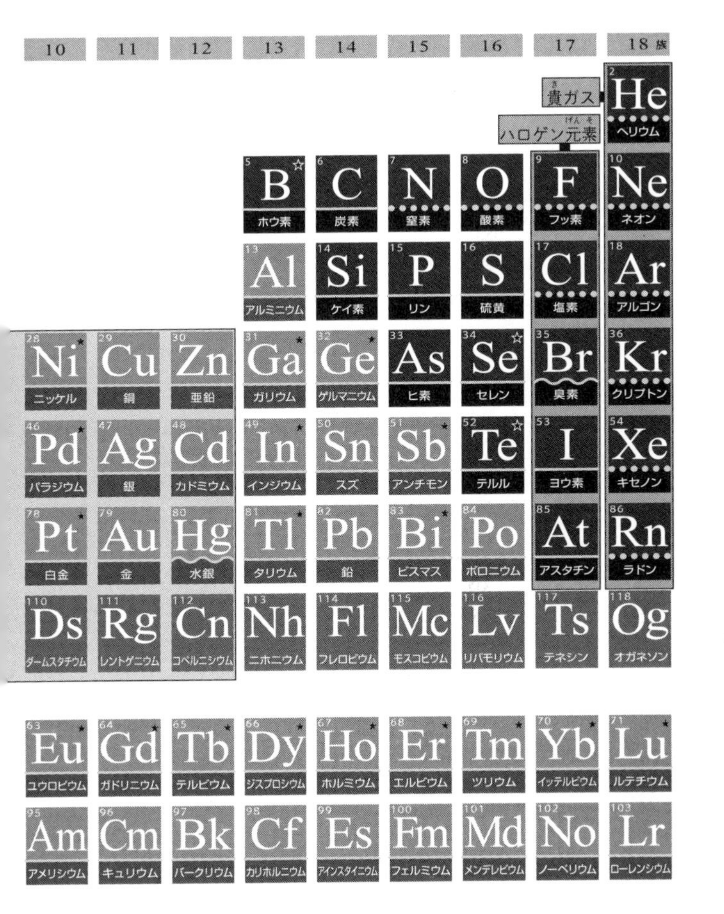

アルカリ金属元素：水素をのぞく1族の元素。反応性が高く，1価の陽イオンになりやすい。

アルカリ土類金属元素：2族のすべての元素。2価の陽イオンになりやすい。

遷移元素：3～12族の元素。横に並んだ元素（同じ周期の元素）で似た性質を示す。

ハロゲン元素：17族の元素。ほかの物質から電子を奪う力が強く，1価の陰イオンになりやすい。

貴ガス：18族の元素。ほかの原子との化合物をほとんどつくらない。

希土類元素（レアアース）：スカンジウム(Sc)とイットリウム(Y)に，ランタノイドの15元素を加えた元素。

第1章

周期表とは何だろうか？

2024年4月現在，元素の周期表には118種類の元素が掲載されています。第1章では，周期表とはどのような表なのか，周期表はどのように誕生したのかを紹介しましょう。

1 万物は何からできている？ その一つの答が周期表

元素の記号が番号順に並んでいる

18～19ページの表が，元素の「周期表」です。元素とは，原子の種類のことです（日本語の元素名などが入った周期表は12～13ページ）。

表に並んでいるアルファベットは，元素を記号であらわした「元素記号」です。元素記号は，表の左から右へ，表の上の行から下の行へと，番号順に並んでいます。この番号は，「原子番号」とよばれます。

1805年にイギリスの科学者ジョン・ドルトン（1766～1844）が，元素の正体は非常に小さな粒子である「原子」であり，種類のことなる原子は，ことなる重さ（原子量）と性質をもつという考え方（原子論）を発表したギョ。

周期表を理解することは自然界を理解すること

「万物は何からできているのだろうか」。それを明らかにすることは，紀元前からの人類の夢でした。**その一つの答ともいえるものが，元素の周期表です。**

自然界の通常の物質は，原子でできています。はるか遠くの宇宙で輝く星も，そのまわりをまわる惑星も，原子でできています。私たちヒトをはじめとする生物の体も，身のまわりにあるさまざまなものも，原子でできています。地球にあるものもないものも，生物も無生物も，通常の物質はみな原子という共通の材料でつくられています。**つまり周期表を理解することは，自然界を理解することにつながるのです。**これから，周期表を読み解く旅に出かけましょう！

注：最新の研究によると，宇宙は物質とエネルギーからなり，その割合は暗黒エネルギー68.34％，暗黒物質26.69％，そして通常の物質4.97％と考えられています。私たちが目にする物質は，宇宙の中の約5％にすぎないのです。

1 元素の周期表

周期表の横の行を「周期」といい，縦の列を「族」といいます。周期表の読み方のコツをつかむと，元素の性質を推測できるようになります。

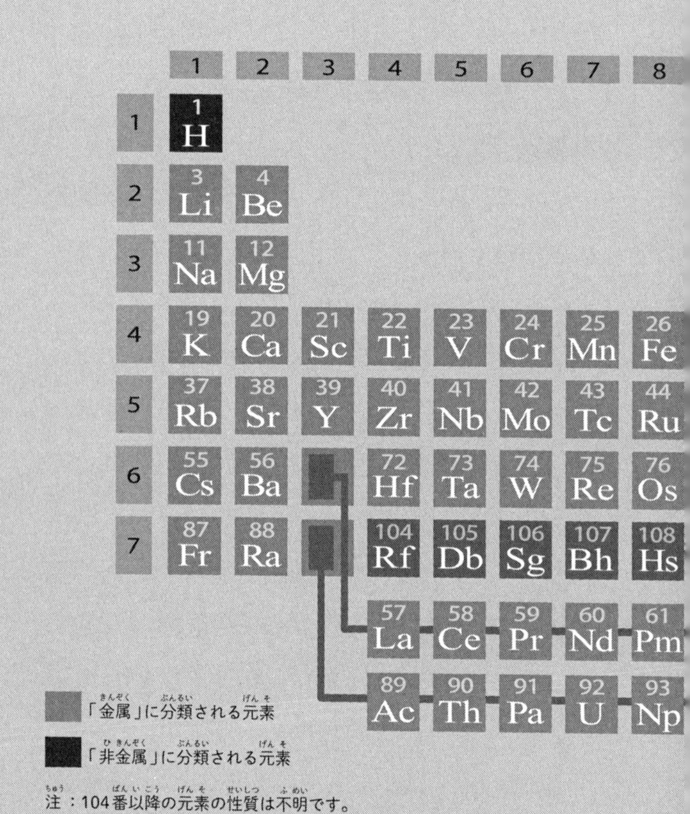

注：104番以降の元素の性質は不明です。

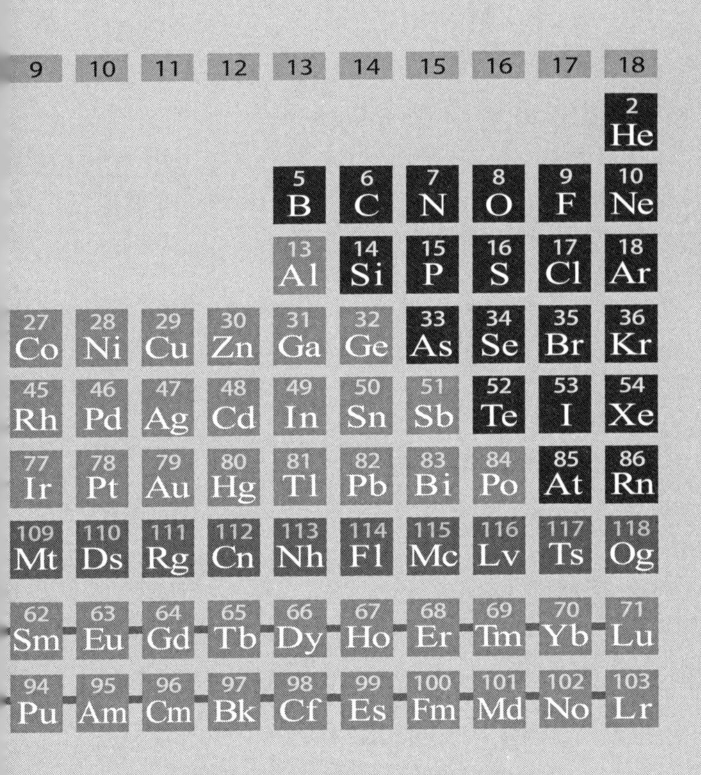

9 10 11 12 13 14 15 16 17 18
2 He
5 B 6 C 7 N 8 O 9 F 10 Ne
13 Al 14 Si 15 P 16 S 17 Cl 18 Ar
27 Co 28 Ni 29 Cu 30 Zn 31 Ga 32 Ge 33 As 34 Se 35 Br 36 Kr
45 Rh 46 Pd 47 Ag 48 Cd 49 In 50 Sn 51 Sb 52 Te 53 I 54 Xe
77 Ir 78 Pt 79 Au 80 Hg 81 Tl 82 Pb 83 Bi 84 Po 85 At 86 Rn
109 Mt 110 Ds 111 Rg 112 Cn 113 Nh 114 Fl 115 Mc 116 Lv 117 Ts 118 Og
62 Sm 63 Eu 64 Gd 65 Tb 66 Dy 67 Ho 68 Er 69 Tm 70 Yb 71 Lu
94 Pu 95 Am 96 Cm 97 Bk 98 Cf 99 Es 100 Fm 101 Md 102 No 103 Lr

2 周期表は，カードゲームから生まれた

だれも元素を整理できていなかった

1869年，ロシアのペテルブルク大学の化学教授だったドミトリ・メンデレーエフ（1834～1907）は，執筆中の化学の教科書の中で，元素をどのように紹介するか悩んでいました。当時，63種類の元素が発見されていたものの，だれも整理できていなかったのです。

あるときメンデレーエフは，元素の重さ（原子量）とカードゲームとの関連を思いついたといいます。それは，ハートやスペードなどの組ごとに，数字が大きくなるように並べるゲームです。早速，白紙のカードに元素の名前と原子量などを書き，似た性質をもつ元素のグループごとに，原子量が大きくなる順に並べました（周期表の

2 メンデレーエフの周期表

メンデレーエフの周期表は発表当時，空欄があることなどから，一部の科学者たちから認められませんでした。しかし予言の的中によって，正当性が証明されたのです。

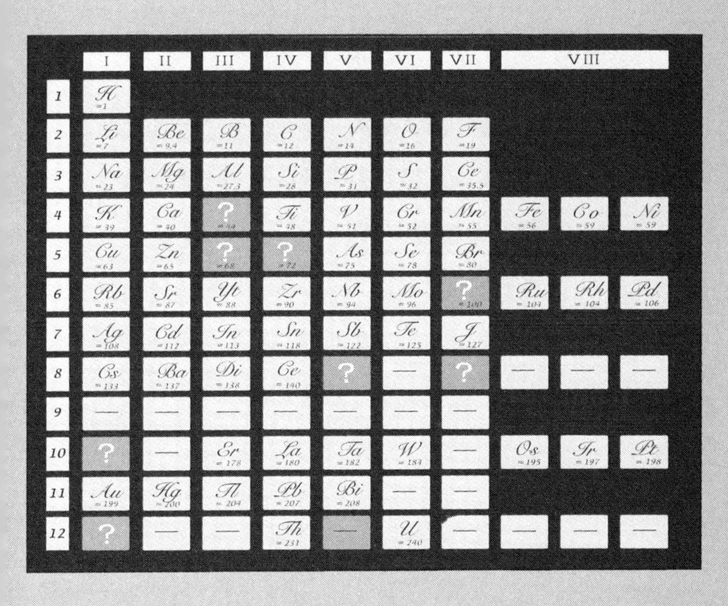

	I	II	III	IV	V	VI	VII	VIII		
1	H ≈1									
2	Li ≈7	Be ≈9.4	B ≈11	C ≈12	N ≈14	O ≈16	F ≈19			
3	Na ≈23	Mg ≈24	Al ≈27.3	Si ≈28	P ≈31	S ≈32	Cl ≈35.5			
4	K ≈39	Ca ≈40	? ≈44	Ti ≈48	V ≈51	Cr ≈52	Mn ≈55	Fe ≈56	Co ≈59	Ni ≈59
5	Cu ≈63	Zn ≈65	? ≈68	? ≈72	As ≈75	Se ≈78	Br ≈80			
6	Rb ≈85	Sr ≈87	Yt ≈88	Zr ≈90	Nb ≈94	Mo ≈96	? ≈100	Ru ≈104	Rh ≈104	Pd ≈106
7	Ag ≈108	Cd ≈112	In ≈113	Sn ≈118	Sb ≈122	Te ≈125	J ≈127			
8	Cs ≈133	Ba ≈137	Di ≈138	Ce ≈140	?	—	?	—	—	—
9	—	—	—	—	—	—	—			
10	?	—	Er ≈178	La ≈180	Ta ≈182	W ≈184	—	Os ≈195	Ir ≈197	Pt ≈198
11	Au ≈199	Hg ≈200	Tl ≈204	Pb ≈207	Bi ≈208	—	—			
12	?	—	—	Th ≈231	—	U ≈240	—	—	—	—

注：メンデレーエフの周期表のIII族，第8周期にあるジジミウム（Di）は，現在の周期表にはない元素です。1885年に，ジジミウムはプラセオジム（Pr）とネオジム（Nd）の混合物であることがわかりました。

族に相当)。そして，何度も並べかえて試行錯誤するうちに，似た性質をもつ元素が周期的にあらわれることをついに発見し(これを周期律といいます)，周期表が完成したのです。

空欄をつくり，未知の元素を予言

メンデレーエフがすぐれていたのは，元素が発見されていなかった部分を空欄にして，入るべき元素の原子量や性質を予言したことです。そして，1875年にガリウム(Ga)，1879年にスカンジウム(Sc)，1886年にゲルマニウム(Ge)が発見され，メンデレーエフの予言とみごとに一致したのです。

やぁ。私の予言は，その後どうなったかな。周期表の空欄は，全部埋まったかい?

3 周期表は150年間，進化しつづけてきた

周期表はまちがっていると主張する者もいた

現在の周期表は，メンデレーエフが考えたもののままなのかというと，そうではありません。新たな元素の発見にともなって，さまざまな改良が加えられています。

1890年代には，「分光分析法」という新しい方法によって，ネオン（Ne）やアルゴン（Ar）などの新元素が次々と発見されました。これらの元素は，当時知られていたどの元素ともことなる性質をもっていました。そのため科学者たちは頭を悩ませ，周期表はまちがっていると主張する者さえいました。しかし，周期表に新たな族を追加することで，周期表に“吸収”できることがわかりました。

周期表は，化学の“ガイドマップ”

　メンデレーエフが周期表を作成した当時に発見されていた元素は63個，2024年4月現在では118個までふえています。**周期表は150年間，少しずつ形をかえながらも，大きな書き直しを迫られることなく，倍近い元素を吸収し，進化してきたことになります。**

　そして現在でも，最先端の元素の研究を反映しながら，周期表は化学の“ガイドマップ”として，重要な役割をはたしているのです。

3 日本で発見された113番元素

2016年11月30日，周期表に113番元素として，元素記号「Nh」，元素名「ニホニウム」が加わりました。ニホニウム（Nh）は，30番元素の亜鉛（Zn）の原子核と83番元素のビスマス（Bi）の原子核を高速で衝突させて，合成されました。

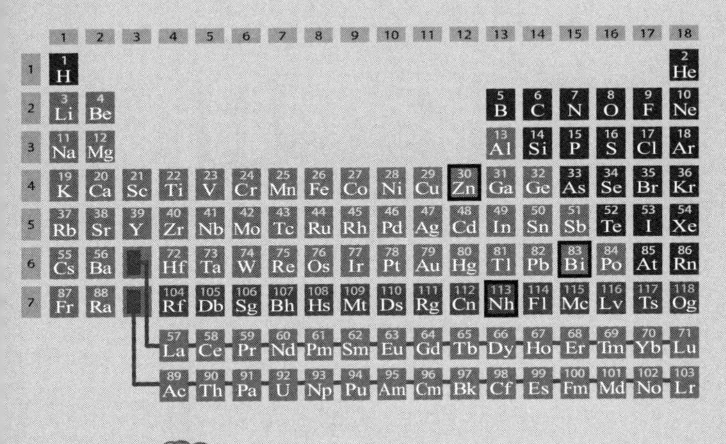

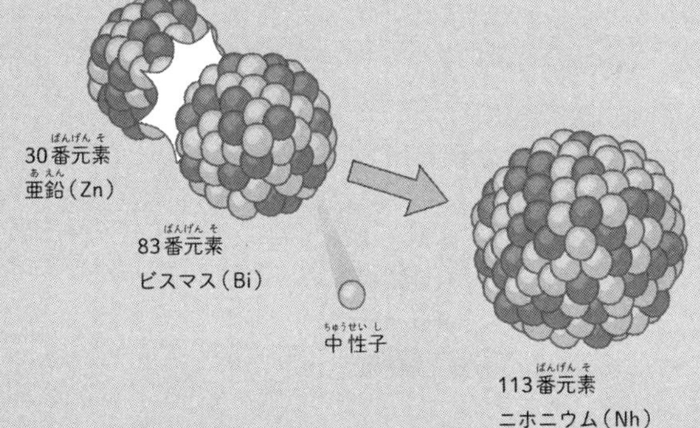

夢で見た周期表

注：メンデレーエフは，カードを使って元素の並びを試行錯誤し，夢で周期表を見たといわれています

空欄がポイント

2週間後、論文を発表
空欄にはまだみつかっていない元素が入るのだ
当時の科学者
そんなの幻想だ!
科学といえるのか!?
1875年 フランスの化学者 ポール・ボアボードラン
ガリウム発見したよ
1886年 ドイツの化学者 クレメンス・ビンクラー
ゲルマニウムみつけた
こうしてメンデレーエフの正しさが証明された

第2章

周期表を読み解こう！

周期表で，それぞれの元素がそれぞれの位置に並んでいるのには，はっきりとした理由があります。第2章では，いよいよ周期表の読み解きかたをみていきましょう。

1 原子の構造をみてみよう

原子は，原子核と電子からなる

周期表を読み解くために，まず原子とはどんなものかをみてみましょう。

原子は，直径10^{-10}メートルほどの非常に小さな粒子で，その中心には原子核があります。**原子核は，プラスの電気を帯びた陽子と電気を帯びていない中性子からなります。そして原子核のまわりには，マイナスの電気を帯びた電子が運動しています。**

このように原子は，どの種類の原子であっても，原子核と電子という基本的には同じ構造をしています。

1 原子の構造

原子は，陽子と中性子からなる原子核と，原子核のまわりを運動する電子からなります。原子核の直径は10^{-14}メートル程度で，電子の大きさは10^{-18}メートル以下と考えられています。

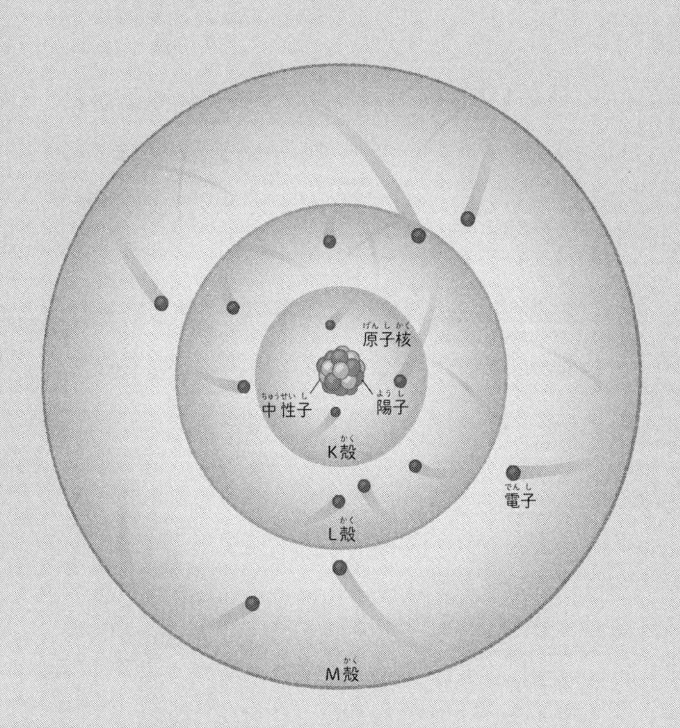

原子の種類は，陽子の数で決まる

では，原子の種類は，何によって決まっているのでしょうか？

実は原子の種類は，原子核にある陽子の数によって決まっています。たとえば，水素の原子核には陽子が1個，ヘリウムの原子核には陽子が2個，リチウムの原子核には陽子が3個あります。そして陽子と同じ数の電子が，原子核のまわりを運動しています。

このように原子の種類は，原子核にある陽子の数によって決まるのです。原子核にある陽子の数は，「原子番号」としても使われます。

注：陽子の数が同じ原子は，同じ種類の原子です。ただし同じ種類の原子の中には，中性子の数がちがうものがあります。たとえば，水素原子の場合，陽子1個と電子1個からなる通常の水素，陽子1個，中性子1個と電子1個からなる重水素，そして陽子1個，中性子2個と電子1個からなる三重水素（トリチウム）があります。このような原子を，「同位体」といいます。中性子の数がちがっても，原子の化学的な性質はかわりません。

元素はさまざまな用途で使われています。たとえば，リチウムは電池として使用されているほか，打ち上げ花火にも利用されています。

周期表で元素を原子量の順ではなく，原子番号順に並べるべきだと提案したのは，イギリスの化学者ヘンリー・モーズリー（1887～1915）なんだよ。原子番号を基準に元素を並べるようにしたことで，未発見の元素が明確になったんだ。たとえば，陽子数が42個と44個の元素が発見ずみなら，43個の元素が未発見なのは明らかだね。

注：原子番号という考え方は，1911年にオランダのアマチュア物理学者アントニウス・ファン・デン・ブローク（1870～1926）によって提案されました。

2 電子の居場所は，決まっている

電子は，決まった軌道上を運動している

原子核のまわりには，陽子と同じ数の電子が運動しています。しかし電子は，原子核のまわりを自由気ままに運動しているわけではありません。電子は，決まった軌道の上を運動しているのです。

電子の軌道は，いくつか集まって，「電子殻」とよばれる球面構造をしています。電子殻には，内側から順番に「K殻」「L殻」「M殻」……というように，K以降のアルファベット順の名前がつけられています。

電子は，内側の電子殻から入っていく

それぞれの電子殻には，K殻に2個，L殻に8個，M殻に18個というように，電子の入れる数（定員）が決まっています。外側の電子殻ほど，定員は多くなります。そして電子は，基本的には内側の電子殻から先に入っていきます。

電子の数は，元素によってことなります。**つまり，どこの電子殻まで電子が入るのかは，元素によってことなります。電子が入っている最も外側の電子殻は，「最外殻」とよばれます。そして最外殻が電子で定員いっぱいになると，原子は最も安定な状態になります。**

電子の居場所に一定のルールがあることは，1913年にデンマークの物理学者ニールス・ボーア（1885～1962）によって示されたんだギョ。

2 塩素の電子配置

下は，塩素（Cl）の電子配置です。中央が原子核で，そのまわりに17個の電子があります。電子殻のK殻とL殻には，電子が定員いっぱいに入っています。最外殻のM殻には，電子の空席が一つあります。

塩素（Cl）の原子

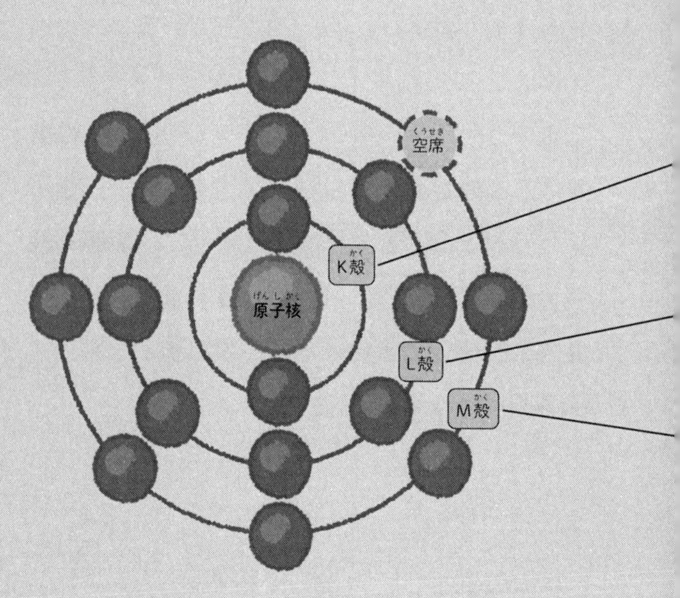

塩素（Cl）の電子

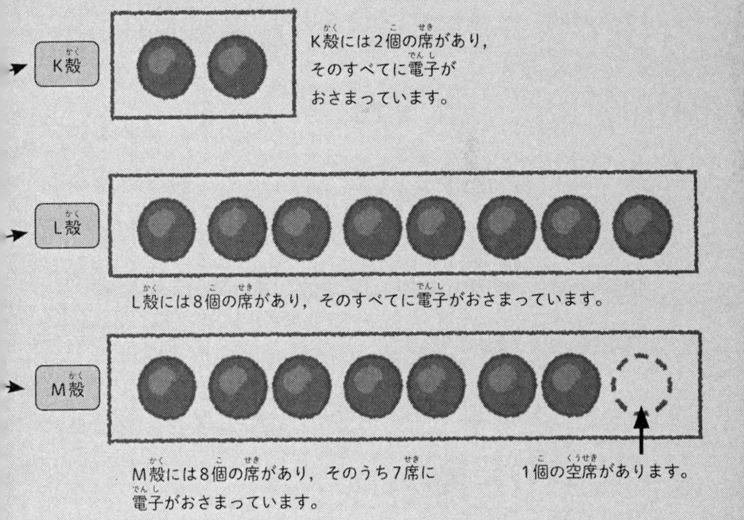

注：M殻には，ここに示した8個の電子がおさまる軌道の外側に，さらに10個の電子がおさまる軌道があります。そのためM殻は，最大18個の電子をおさめることができます。

3 周期表の元素の並びは，電子しだい

同じ周期の元素は，最外殻が同じ

ではここで，最外殻に注目しながら，周期表の横方向に元素をみていきましょう（40～41ページの周期表）。

第1周期の元素は，最外殻がK殻です。第2周期の元素は，最外殻がL殻です。そして第3周期の元素は，最外殻がM殻です。**このように，周期表の同じ周期（横の行）には，最外殻が同じ元素が並んでいるのです。**

同じ族の元素は，最外殻にある電子の数が同じ

今度は，最外殻に注目しながら，周期表の縦方向に元素をみてみましょう（40～41ページの

周期表）。

1族の元素は，最外殻にある電子の数が1個です。2族の元素は，最外殻にある電子の数が2個です。そして13族の元素は，最外殻にある電子の数が3個です。**このように，周期表の同じ族（縦の列）には，最外殻にある電子の数が同じ元素が並んでいるのです。**

周期表の同じ族の元素どうしは，化学的な性質が似ています。**実はこれは，最外殻にある電子の数が同じだからです。つまり，元素の化学的な性質は，最外殻にある電子の数に大きく左右されるのです！** 1～17族の元素の最外殻にある電子は，化学反応にかかわるため，特別に「価電子」とよばれます。

1902年にアメリカの化学者ギルバート・ルイス（1875～1946）が，周期表で縦に並んだ元素が似た性質を示すのは，最外殻の電子の数が同じだからだと見抜いたんだって。

3 周期表と最外殻の関係

周期表の一部に，各元素の電子配置をえがきました。周期表の同じ周期には，最外殻の同じ元素が並んでいます。一方，周期表の同じ族には，最外殻にある電子の数が同じ元素が並んでいます。

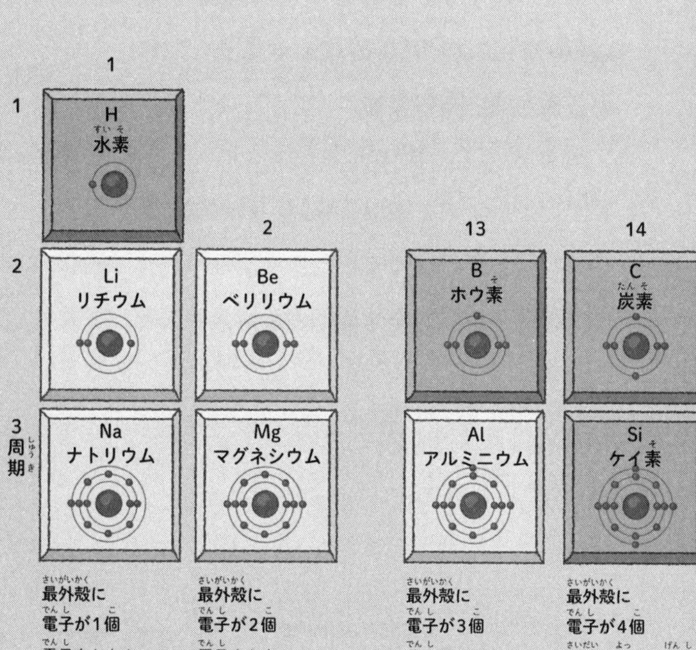

最外殻に電子が1個
電子をわたして，1価の陽イオンになりやすいです。
（価電子の数…1）

最外殻に電子が2個
電子をわたして，2価の陽イオンになりやすいです。
（価電子の数…2）

最外殻に電子が3個
電子をわたして，3価の陽イオンになりやすいです。
（価電子の数…3）

最外殻に電子が4個
最大で四つの原子と結合することができます。
（価電子の数…4）

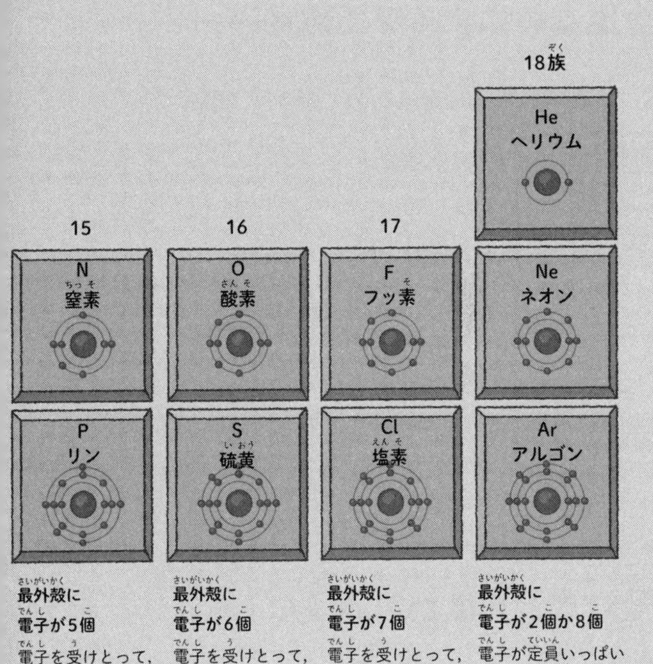

最外殻に電子が5個
電子を受けとって，3価の陰イオンになりやすいです。（価電子の数…5）

最外殻に電子が6個
電子を受けとって，2価の陰イオンになりやすいです。（価電子の数…6）

最外殻に電子が7個
電子を受けとって，1価の陰イオンになりやすいです。（価電子の数…7）

最外殻に電子が2個か8個
電子が定員いっぱいで，ほかの原子と反応しにくいです。（価電子の数…0）

4 水とすら反応する！ 1族の「アルカリ金属」

金属なのにナイフで切れる

ここからは，周期表の族（縦の列）ごとに，元素の性質をみていきましょう。

まずは，周期表のいちばん左にある，1族の元素です。水素をのぞく1族の元素は，「アルカリ金属」とよばれます。**金属でありながら，やわらかくて軽いという特徴があります。**リチウム（Li）やナトリウム（Na）などは，ナイフで切ることも可能です。

常に電子をほかの原子にわたそうとしている

アルカリ金属の最大の特徴は，反応性がきわめて高いことです。たとえば，水でぬらした紙の

4 アルカリ金属と水の反応

リチウム，ナトリウム，カリウムを，水にぬらした紙の上にのせたときの反応です。周期表の下のほうにある元素ほど，反応がはげしくなります。

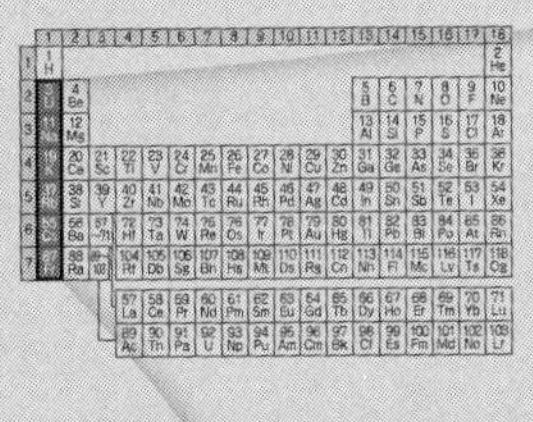

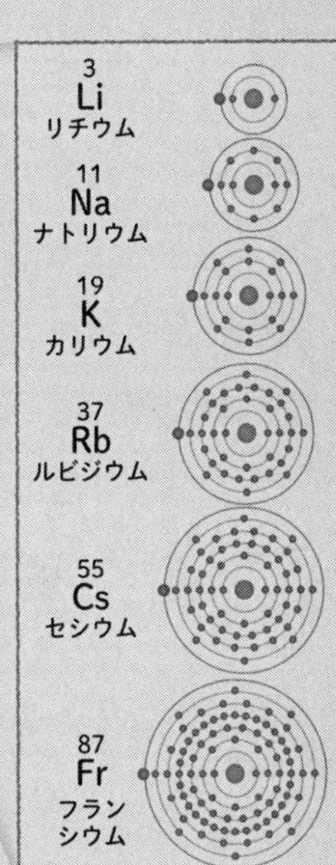

リチウム（Li）

水とはおだやかに反応して，発火しません。

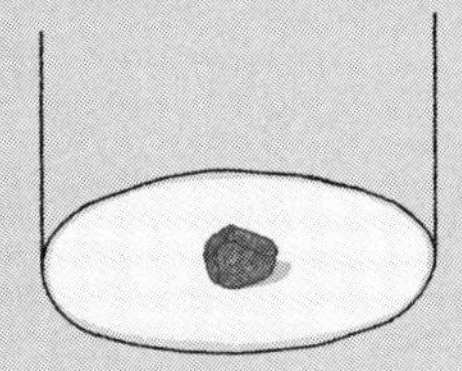

ナトリウム（Na）

爆発的に発火し，水素ガスを発生させます。黄色い炎が見えます。

カリウム（K）

はげしく反応して，反応熱で融解します。発生した水素がはげしく燃えます。紫色の炎が見えます。

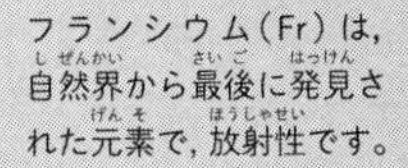

フランシウム（Fr）は，自然界から最後に発見された元素で，放射性です。

注：ルビジウム（Rb）とセシウム（Cs）は，爆発的な反応をおこして危険なため，通常このような実験は行われません。

上にナトリウムやカリウム(K)をのせると，はげしく炎をあげます。このようなはげしい反応をおこす理由は，アルカリ金属の最外殻に，電子が1個しかないからです。

アルカリ金属は，最外殻にある1個の電子をほかの原子にわたすと，電子で埋まった内側の電子殻が最外殻となり，安定な状態になります。**そのため最外殻にある1個の電子を，常にほかの原子にわたそうとしています。**化学反応は，電子のやりとりでおきます。電子をほかの原子にわたしやすいということは，反応が進みやすいということです。このためアルカリ金属は，はげしい反応を引きおこすのです。

金属を炎に入れると，金属は特有の色を発するよ。これは炎色反応という現象だよ。

5 多彩な物質をつくる！ 14族の「炭素」と「ケイ素」

炭素は，生命に欠かせない物質の主成分

　次は，14族の元素です。14族の元素は，最外殻に電子が4個，電子の空席が4個あり，最大4個の原子と結びつくことができます。**そして，直線的や平面的，立体的につながることで，多種多様な物質となったり，さまざまな結晶構造をとったりすることができます。**これが，14族の元素の最大の特徴です。

　たとえば炭素（C）は，酸素（O）と結びついて二酸化炭素（CO_2）に，水素（H）と結びついてメタン（CH_4）に，窒素（N）や酸素などと結びついてアミノ酸になります。さらにアミノ酸どうしは，直線的につながってタンパク質になることもあります。**私たち生命にとって，欠くことの**

できない物質の多くは，炭素を主要な成分としています。

ケイ素は，工業的に活用されている

ケイ素(Si)も，最大4個の原子と結びつくことができます。ケイ素は昔から，ガラスやセメントの材料として，利用されてきました。20世紀後半からは，半導体や太陽電池にも使用されています。**14族の元素は，工業的にも活用され，私たちを支えているのです。**

ケイ素は，炭素と結合した「有機ケイ素化合物」としても利用され，ワックスやコンタクトレンズなどにも使用されているんだギョ。

5 炭素がつくる物質の例

炭素がつくる物質の数は，1億5000万種以上といわれています。人間の体をつくるタンパク質も，炭素を成分とするアミノ酸でできています。

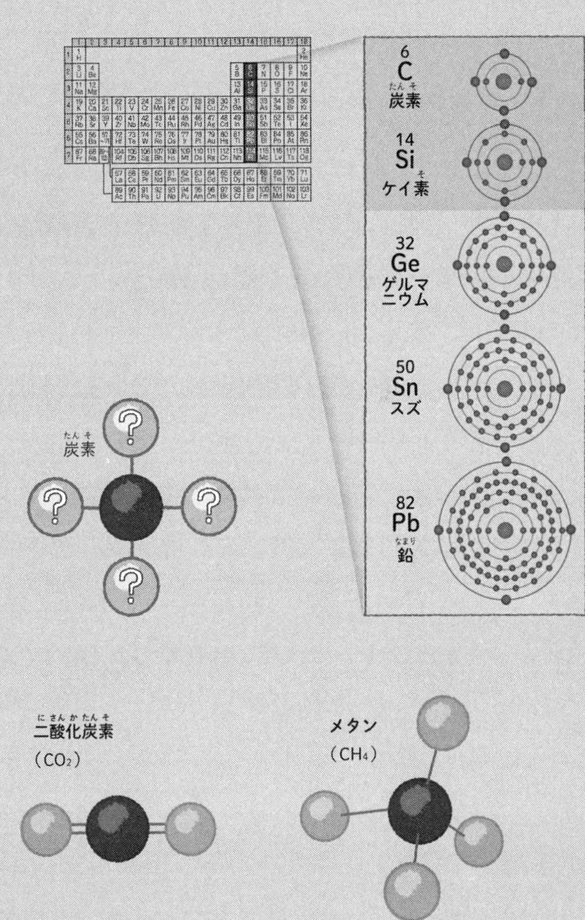

6 何ものとも反応しづらい，18族の「貴ガス」

最外殻に，電子が定員いっぱい

周期表のいちばん右にある18族の元素は，「貴ガス」とよばれます。**貴ガスの最大の特徴は，ほかの元素と反応しにくいことです。**貴ガスの最外殻には，電子が定員いっぱいに入っています。**そのため，あまっている電子をほかの原子にわたしたり，足りない電子をほかの原子から受けとったりする必要がなく，安定しているのです。**

貴ガスは原子1個で安定しているため，原子1個で存在しています。水素ガス（H_2）のように，原子2個が結びついた状態で存在することはありません。

6 貴ガスの利用例

貴ガスは，ほかの元素と反応しにくいという特徴があります。燃えることはなく，体に入っても害をおよぼさないとされています。

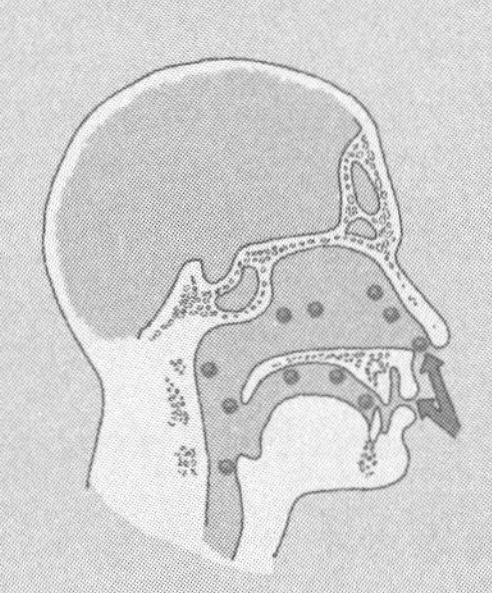

人が吸っても安全とされている

ヘリウムガスは声をかえる「変声ガス」に，ヘリウムガスやアルゴンガスは深海潜水用ボンベの空気にまぜられています。

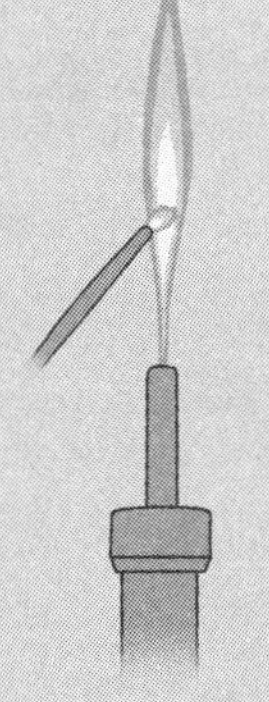

燃えない

ヘリウムガスは空気よりも軽いため，気球や飛行船，風船などに使われています。

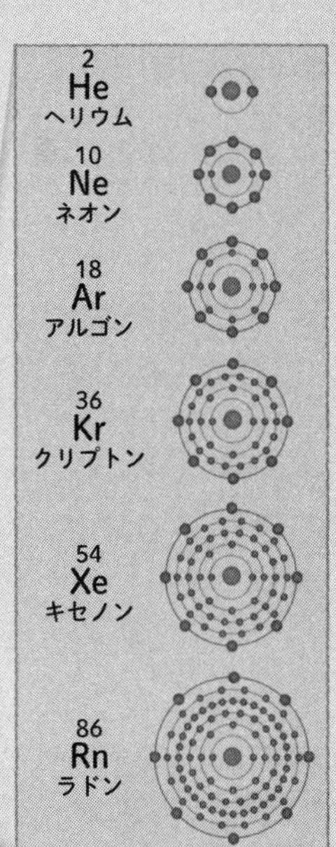

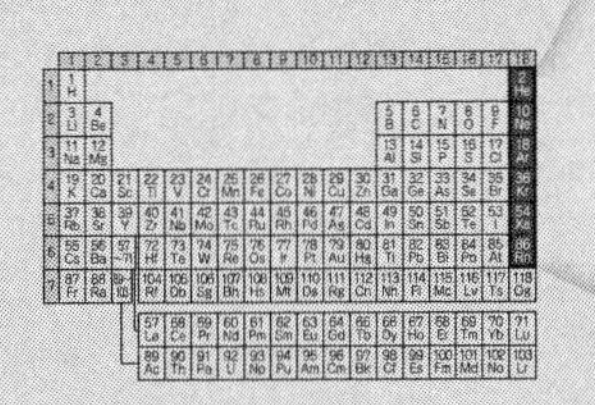

火を近づけても燃えない

貴ガスの反応しにくいという性質は，さまざまなものに利用されています。たとえばヘリウムガス（He）は，空気よりも軽いため，飛行船や気球などに使われています。**貴ガスは燃えることがなく，安全だからです。**

一方，ヘリウムガスやアルゴンガス（Ar）は，窒素ガス（N_2）のかわりに，深海潜水用ボンベの空気にまぜられています※。**貴ガスは，体に入っても体内の物質と結びつくことがなく，体に害をおよぼさないとされているからです。**

※：深海で体に高い圧力がかかると，普段は害のない窒素ガスが血液にとけて，のちに「潜水病（減圧症）」を引きおこすことがあります。

ヘリウムは沸点がマイナス268.93℃と，元素の中で最も低い性質があるから，冷却して液化した液体ヘリウムは，冷却材として工業や研究に広く使用されているんだって。

memo

7 メンデレーエフを悩ませた，3～12族の「遷移元素」

最外殻にある電子の数がかわらない！

最後は，「遷移元素」とよばれる3～12族の元素です。

電子は普通，内側の電子殻から先に入っていきます。そのため原子番号がふえていくと，最外殻にある電子の数がふえていくはずです。**ところが遷移元素は，原子番号がふえ，電子の数がふえていっても，最外殻にある電子の数がかわりません。**なぜなのでしょうか。

実は遷移元素の電子は，内側の電子殻が埋まる前に，最外殻に入ることがあるのです。最外殻にある電子の数がかわらないため，どの遷移元素も，化学的には互いによく似た性質をもっています。

メンデレーエフは，欄外にまとめていた

メンデレーエフが周期表を考えだした当時は，まだ電子の存在が明らかにされていませんでした。そのためメンデレーエフは，遷移元素の存在にとても悩んだといわれています。**メンデレーエフは，原子量がふえるのに性質がかわらない遷移元素を，いわば欄外のように一つのグループにまとめて並べていました。**

現在では，性質が似た遷移元素も，原子番号順に，周期表の中央部分に並べられています。

遷移元素は，族がちがっても似た性質を示すのかぁ。だからメンデレーエフは悩んだんだ。

7 遷移元素と亜鉛の電子配置

第4周期の3～12族の元素の電子配置です。最外殻のN殻にある電子の数は，1～2個で同じです。内側のM殻にある電子の数がちがいます。

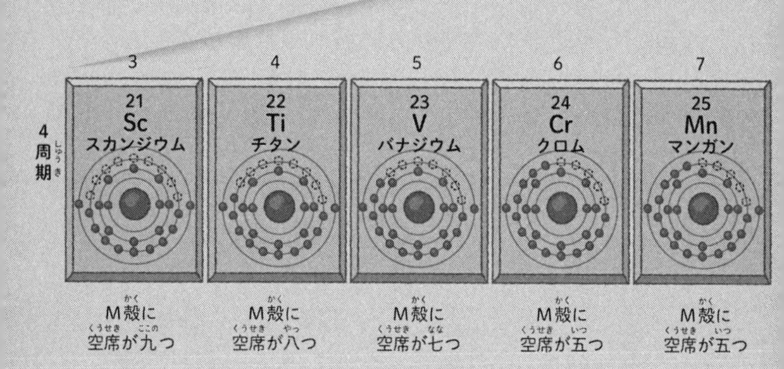

	1	2	3	4	5	6	7	8	9	10	11	12	13	14	15	16	17	18
1	1 H																	2 He
2	3 Li	4 Be											5 B	6 C	7 N	8 O	9 F	10 Ne
3	11 Na	12 Mg											13 Al	14 Si	15 P	16 S	17 Cl	18 Ar
4	19 K	20 Ca	21 Sc	22 Ti	23 V	24 Cr	25 Mn	26 Fe	27 Co	28 Ni	29 Cu	30 Zn	31 Ga	32 Ge	33 As	34 Se	35 Br	36 Kr
5	37 Rb	38 Sr	39 Y	40 Zr	41 Nb	42 Mo	43 Tc	44 Ru	45 Rh	46 Pd	47 Ag	48 Cd	49 In	50 Sn	51 Sb	52 Te	53 I	54 Xe
6	55 Cs	56 Ba	57~71	72 Hf	73 Ta	74 W	75 Re	76 Os	77 Ir	78 Pt	79 Au	80 Hg	81 Tl	82 Pb	83 Bi	84 Po	85 At	86 Rn
7	87 Fr	88 Ra	89~103	104 Rf	105 Db	106 Sg	107 Bh	108 Hs	109 Mt	110 Ds	111 Rg	112 Cn	113 Nh	114 Fl	115 Mc	116 Lv	117 Ts	118 Og
				57 La	58 Ce	59 Pr	60 Nd	61 Pm	62 Sm	63 Eu	64 Gd	65 Tb	66 Dy	67 Ho	68 Er	69 Tm	70 Yb	71 Lu
				89 Ac	90 Th	91 Pa	92 U	93 Np	94 Pu	95 Am	96 Cm	97 Bk	98 Cf	99 Es	100 Fm	101 Md	102 No	103 Lr

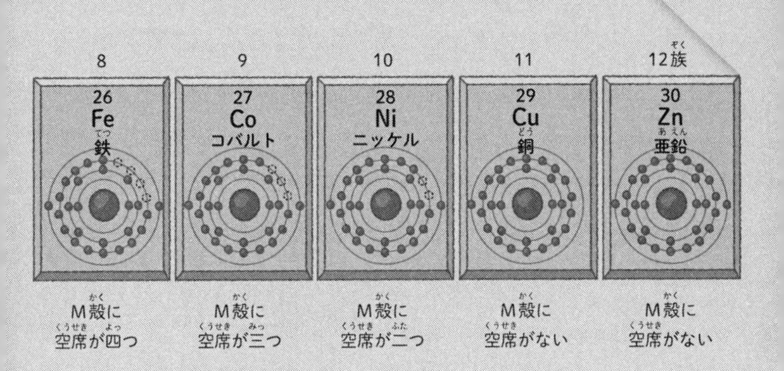

8 金属ほどは電気を伝えない「半導体」

典型的な金属がもつ性質とは？

中学校や高校で使われる元素の周期表（18～19ページなど）では，それぞれの元素がもつ性質を，典型的な金属がもつ性質と比較して，元素を金属と非金属に分類しています。

典型的な金属がもつ性質とは，「特有の光沢があり，電気や熱をよく伝え，のばすことができる」といった性質です。ところが，「電気の伝導性」を基準に元素を金属と非金属に分類すると，その境界はことなったものになります。

ゲルマニウムは「半導体」

　たとえば32番元素のゲルマニウム（Ge）は，学校で使われる周期表では，金属に分類されています。しかしゲルマニウムは，金属ほどは電気を伝えません。また，金属が低温になるほど電気をよく伝えるのに対して，ゲルマニウムは高温になるほど電気をよく伝えます。

　ゲルマニウムのような性質をもつ元素や物質は，「半導体」とよばれます。電気の伝導性を基準にすると，半導体であるゲルマニウムは，非金属に分類されます。

　このように，金属と非金属の境界は，何を基準に分類するかによって，ことなったものになるのです。

中学校や高校で使われる元素の周期表では，118種類の元素のうち，96種類の元素が「金属」に，22種類の元素が「非金属」に分類されているよ。

8 半導体がわかる周期表

電気の伝導性を基準にして，
「金属（導体）」「非金属（絶縁体）」「非金属（半導体）」を色分けした周期表です。非金属（半導体）は，金属ほどは電気を伝えず，高温になるほど電気をよく伝えます。

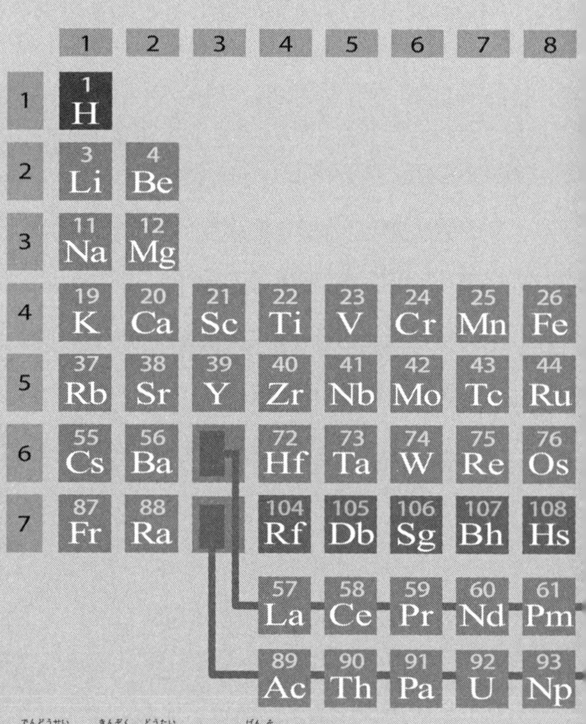

電気の伝導性が「金属（導体）」である元素

電気の伝導性が「非金属（絶縁体）」である元素

電気の伝導性が「非金属（半導体）」である元素

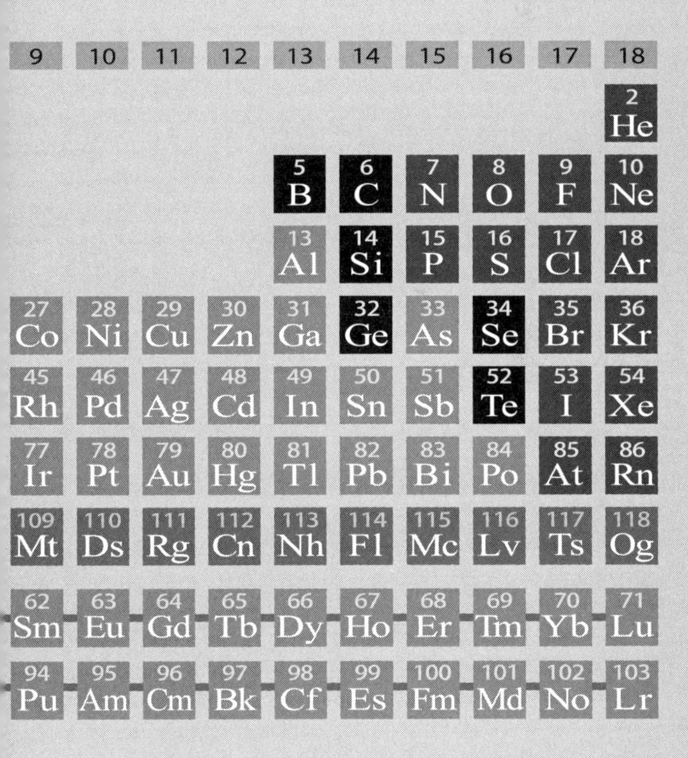

注：104番以降の元素の性質は不明です。電気の伝導性を基準にした周期表の色分けは，宇宙研究開発機構（JAXA）のウェブサイト（http://www.jaxa.jp/press/2015/04/ 20150420_boron_j.html）を参照しました。

周期表を覚える語呂合わせ

周期表の元素の並びをただ暗記しようとしても，なかなか覚えられるものではありません。そこで，語呂合わせで覚える方法がいくつも考えられています。

よく知られているのは，周期表の元素の並びを，原子番号順に1～20まで覚えるための語呂合わせです。それは，

「水兵リーベ，僕の船。七曲がりシップス，クラークか（H He Li Be B C N O F Ne Na Mg Al Si P S Cl Ar K Ca）」というものです。「リーベ」は，「愛する」という意味をもつドイツ語の「lieben」です。水兵が，船を愛しているようすが思い浮かびます。

一方，周期表の元素の並びを，族ごとに覚える

ための語呂合わせもあります。たとえば1族のアルカリ金属の場合は,

「リッチな彼女は,ルビーせしめてフランスへ(Li Na K Rb Cs Fr)」というものです。これらを参考に,ぜひオリジナルの語呂合わせをつくってみてください!

第3章

全118元素を徹底紹介

第3章では，周期表に掲載されている118種類の元素について，一つ一つ紹介していきます。基礎データはもちろんのこと，名前の由来や発見時のエピソードなど，楽しい情報が満載です！

1 地名，神名，人名……。さまざまな元素の名の由来

元素の名前に制約はない

元素の名前は，現在は「IUPAC（国際純正・応用化学連合）」で議論されたうえで決まります。**名前をつける際に，とくに制約はありません。**地名や天体名，神名，人名など，由来はさまざまです。

一つの村の名前が，四つの元素の名前に

個性的な名前をもつ元素に，イットリウム（Y），テルビウム（Tb），イッテルビウム（Yb），エルビウム（Er）の四つがあります。**これらの元素の名前はすべて，スウェーデンの「イッテルビー」という村の名前に由来します。**

イッテルビーは，スウェーデンの首都ストックホルム近郊にある，小さな村です。1794年にこの村でとれる鉱物から新しい酸化物「イットリア」が発見され，1843年にはイットリアからイットリウムが発見されました。**ところがのちに，単一と思われたイットリウムから新元素のテルビウムとエルビウムが発見され，さらにエルビウムからも新元素のイッテルビウムが発見されたのです。**これが，四つの元素の名前が，一つの村の名前に由来する理由です。

名前に特徴のある元素は，このほかにもたくさんあります。68ページから，118種類の元素を徹底的に紹介していきましょう。

イットリウムは，フィンランドの化学者ヨハン・ガドリン（1760～1852）がイッテルビーから産出した鉱物を分析して発見したんだ。ガドリンが分析した鉱物は，のちに「ガドリン石」と命名されているよ。

1 第3章のデータの見方

68ページ以降で紹介する118元素には，下のような項目を掲載しています。

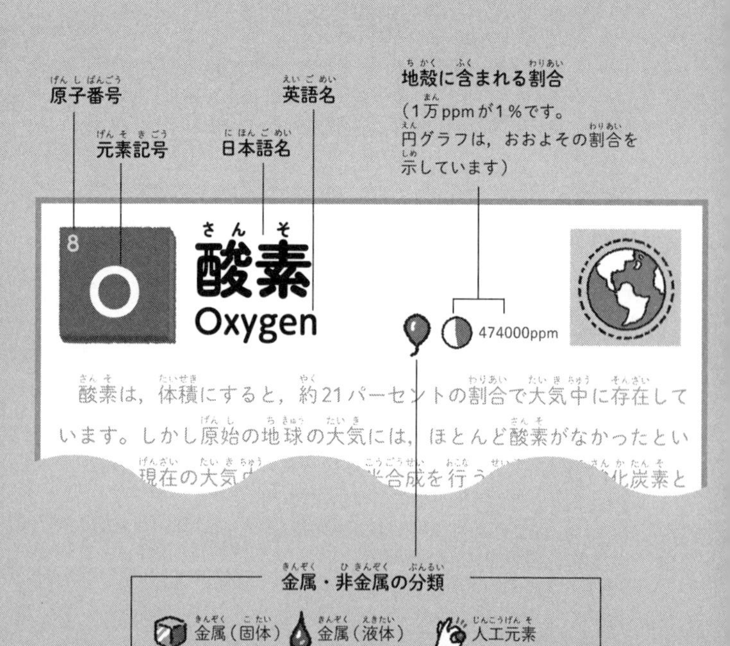

周期表上での位置
（対象の元素は黒で，
同じ族の元素は灰色で示しています）

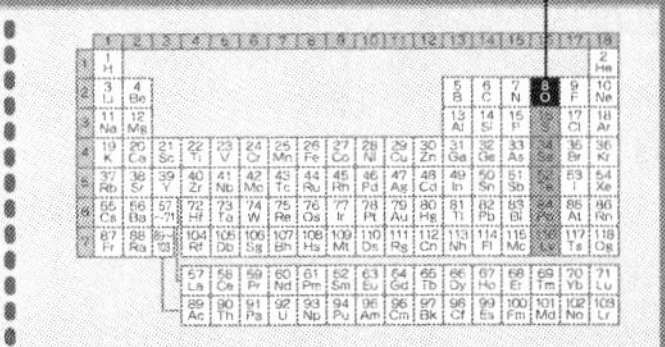

基礎データ

【陽子数】…原子核にある陽子の数。陽子数は，原子番号としても使われます。
【価電子数】…最も外側の電子殻にある電子の数。
【原子量】…炭素の同位体 ^{12}C の原子量を12としたときの相対比※1
【融　点】…単位は「℃」。
【沸　点】…単位は「℃」。
【密　度】…単位は「g/cm^3」。
【存在度】［地球］…地殻における存在割合。
［宇宙］…宇宙における存在割合※2。
【存在場所】…その元素を含む代表的な物質や鉱物と，主な産地。
【価　格】…一般に流通している価格を4種の資料にあたりました※3。
【発見者】…その元素を発見した人の名前（国）。
【発見年】…その元素が発見された年。

元素名の由来

その元素の語源。諸説あるものは，代表的なものを掲載しています。

発見時のエピソード

その元素の発見に関するエピソード。

※1：安定同位体がなく，原子量のあたえられていない放射性元素については，確認されている同位体の質量を（　）内に示しました。
※2：ケイ素を 1×10^6 とした場合の原子数
※3：〈価格の出典〉 1ドル＝150円としました。
♣…『物価資料』（2024年4月号）
◆…独立行政法人 石油天然ガス・金属鉱物資源機構『鉱物資源マテリアルフロー』（2022）
■…（株）ニラコ 純金属価格表
★…富士フイルム和光純薬工業 Siyaku.com

注：データが不明なものは「—」と記しました。
注：価格をのぞく数値データは，主に『改訂5版 化学便覧基礎編』にもとづきます。

水素
Hydrogen

宇宙に最も多く存在する元素が，水素です。宇宙に存在する原子の数の，約9割を占めるといわれています。しかし，とても軽いことから，質量では約7割にとどまります。

この軽いという特徴から，以前は気球や飛行船に使われていました。しかし，燃えやすいというもう一つの特徴で大事故につながったため，今は使われていません。燃えやすく，爆発的なエネルギーを生むことから，スペースシャトルの打ち上げにも利用されていました。

近年，水素を燃料とする「燃料電池車」が実用化されました。燃料電池は，水素を酸素と反応させて，電気を発生させる装置です。

基礎データ

【陽子数】1　【価電子数】1
【原子量】1.00784～1.00811
【融　点】-259.14
【沸　点】-252.87
【密　度】0.00008988
【存在度】［地球］1520ppm
［宇宙］2.79×10^{10}
【存在場所】水，アミノ酸など
【価　格】520円（1m^3あたり）♣
【発見者】キャベンディッシュ（イギリス）
【発見年】1766年

元素名の由来

ギリシア語の「水（hydro）」と「生じる（genes）」。

発見時のエピソード

1766年，イギリスの化学者のキャベンディッシュは，酸と鉄などの反応で生じた空気よりはるかに軽い気体に気づきました。これが水素です。その名は，1783年にフランス出身の化学者のラボアジエが名づけました。

金属（固体）　金属（液体）　非金属（固体）　非金属（液体）

ヘリウム
Helium

ヘリウムは，水素とともに，宇宙が誕生して最初につくられた元素です。現在も，宇宙で水素に次いで原子の数が多い元素で，水素とヘリウムの質量を合わせると，宇宙の通常の物質の約98％を占めます。

水素に次いで軽い一方で，水素とはことなり，不燃性で安全という特徴があります。そのため，水素にかわって気球や飛行船を浮かせるガスとして使用されています。

また，沸点が元素の中で最も低いという特徴もあります。液体は冷却剤として，医療用のMRI（磁気共鳴画像装置）やリニアモーターカーなどに利用されています。

基礎データ

【陽子数】2　【価電子数】0
【原子量】4.002602
【融　点】-272.2
【沸　点】-268.934
【密　度】0.0001785
【存在度】［地球］0.008ppm
［宇宙］2.72×10^9
【存在場所】ある種の天然ガス
【価　格】5850円（1m³あたり）♣
【発見者】ジャンセン（フランス）
ロッキャー（イギリス）
【発見年】1868年

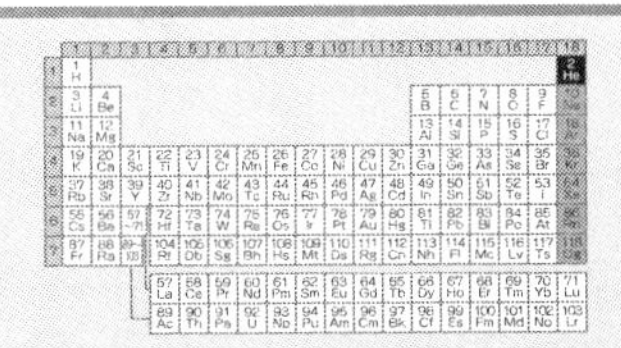

元素名の由来

ギリシア語の「太陽（helios）」。

発見時のエピソード

イギリスの天文学者であるロッキャーは，皆既日食を観察して，太陽の黄色い光が新元素から発せられているとみなしました。それをヘリウムと名づけました。1890年に，イギリスのヒルデブランドがウラン鉱から不活性ガスを分離し，1895年にイギリスのラムゼーがこれをヘリウムと認めました。

非金属（気体）　地殻に含まれる割合　人工元素

リチウム

Lithium

リチウムは，水素とヘリウムとともに宇宙が誕生して最初につくられた元素です。

リチウムと聞いてまず思い浮かべるのは，「リチウムイオン電池」ではないでしょうか？　リチウムイオン電池は，軽くても大容量，そして充電効率が高いため，ノートパソコンやスマートフォンなどのモバイル機器の電池として使用されています。

また，リチウムは無色の炎に入れるとあざやかな赤色の炎色反応を示します。炎色反応とは，炎が元素特有の色を示す反応です。この性質を利用して，打ち上げ花火に色がつけられています。

基礎データ

【陽子数】3　【価電子数】1
【原子量】6.938 ～ 6.997
【融　点】180.54
【沸　点】1347
【密　度】0.534
【存在度】［地球］20ppm
［宇宙］57.1
【存在場所】リチア輝石，紅雲母（リチア雲母）（チリ，カナダなど）
【価　格】1517円（1kgあたり）◆金属リチウム
【発見者】アルフェドソン（スウェーデン）
【発見年】1817年

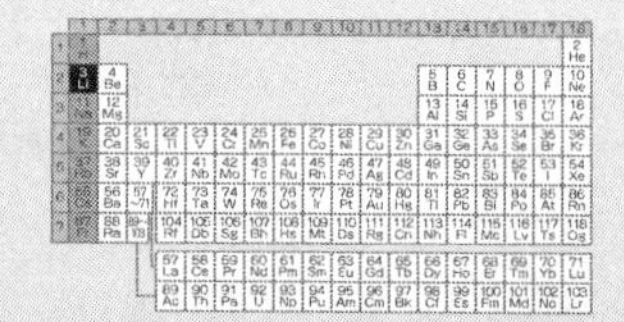

元素名の由来

ギリシア語の「石（Lithos）」。

発見時のエピソード

「ペタル石」という鉱物の分析によって発見されました。はじめて鉱物から，アルカリ金属元素が発見されました。

ベリリウム

Beryllium

ベリリウムは，銀白色の金属で，軽くかたく，強く，融点が高いという特徴があります。2021年に打ち上げられたNASAのジェームズ・ウェッブ宇宙望遠鏡では，軽くて丈夫で振動や極低温にも耐えられるベリリウム製の鏡18枚が使われています。

銅にベリリウムを添加したベリリウム銅は，銅合金中で最も強く，電気を通す性質をかねそなえているため，さまざまな部品中のバネ材料として使われ,電子機器や自動車の小型・軽量化,長寿命化に貢献しています。

また，スピーカーの振動板にベリリウムを用いると，より高い音まで再生できることから，高級スピーカーで採用されています。

基礎データ

【陽子数】4　【価電子数】2

【原子量】9.01218

【融　点】1285

【沸　点】2780

【密　度】1.857

【存在度】［地球］2.6ppm

［宇宙］0.73

【存在場所】緑柱石，ベルトラン石

（ブラジル，ロシアなど）

【価　格】—

【発見者】ウェーラー（ドイツ）

ビュッシー（フランス）

【発見年】1828年

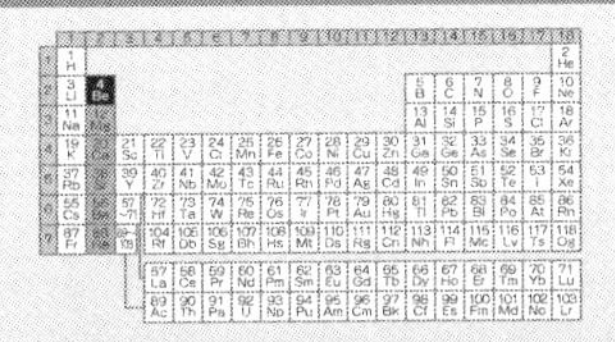

元素名の由来

鉱物「緑柱石（beryl）」の名前。

発見時のエピソード

緑柱石の化学分析によって，発見されました。元素発見と同じ年に，ドイツのクラプロートが「ベリリウム」と名づけました。

ホウ素
Boron

 950ppm

ホウ素は，単体でも化合物でも，耐火性にすぐれています。単体のホウ素の色は黒灰色で，ガラスにまぜると透明になります。ホウ素を含んだガラスは，熱膨張率が小さいという特徴があり，熱を加えてもなかなか形がかわりません。そのため，耐熱ガラスとして，調理用のポットや化学実験のフラスコ，ビーカーなどによく用いられます。

またホウ酸は，「ホウ酸団子」として，ゴキブリの駆除に用いられます。目の洗浄剤などの医薬品としても利用されています。そのほか，研磨剤，合金への添加剤など，さまざまなホウ素化合物が工業的に使用されています。

基礎データ

【陽子数】5　【価電子数】3
【原子量】10.806 ～ 10.821
【融　点】2300
【沸　点】3658
【密　度】2.34
【存在度】［地球］950ppm
［宇宙］21.2
【存在場所】ホウ砂，コールマン石（アメリカなど）
【価　格】180円（1gあたり）■ 粉末
【発見者】デービー（イギリス）
ゲイ・リュサック（フランス）
テナール（フランス）
【発見年】1804年

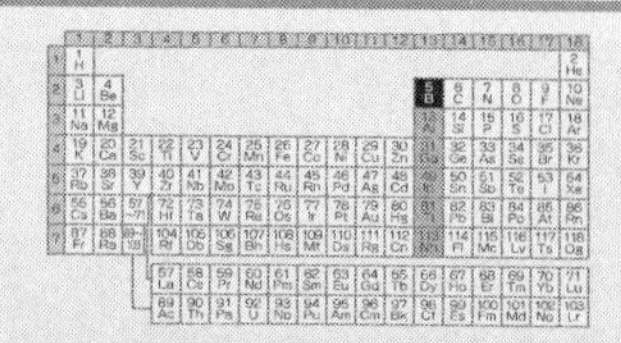

元素名の由来

アラビア語の「ホウ砂（buraq）」。

発見時のエピソード

ホウ砂（ホウ素の化合物）は，古くから知られていました。最初の発見はデービーともいわれています。純粋な単体は，モアッサンが酸化ホウ素から分離しました。

炭素は，有史以前から，木炭の形で使用されてきた元素です。一方で，現代科学の最前線をゆく元素でもあります。炭素原子からなる軽くて丈夫なカーボンナノチューブは，自動車や宇宙船の材料など，さまざまな分野への応用が期待されています。

炭素は原子どうしの結びつきが非常に強く，同じ重量の鋼鉄とくらべると，カーボンナノチューブは80倍の強度があります。鉱物で最もかたいダイヤモンドも炭素のみでできています。ほかにも，鉛筆の芯の材料であるグラファイト（黒鉛）など，炭素原子のみでできたものが身近にあります。

基礎データ

【陽子数】6　　【価電子数】4
【原子量】12.0096～12.0116
【融　点】3550（ダイヤモンドの場合）
【沸　点】4800（ダイヤモンドの場合。昇華点）
【密　度】3.513（ダイヤモンドの場合）
【存在度】［地球］480ppm
［宇宙］1.01×10^7
【存在場所】黒鉛（中国など），
ダイヤモンド（コンゴなど）
【価　格】7円（1gあたり）★
グラファイト粉末
【発見者】―
【発見年】―

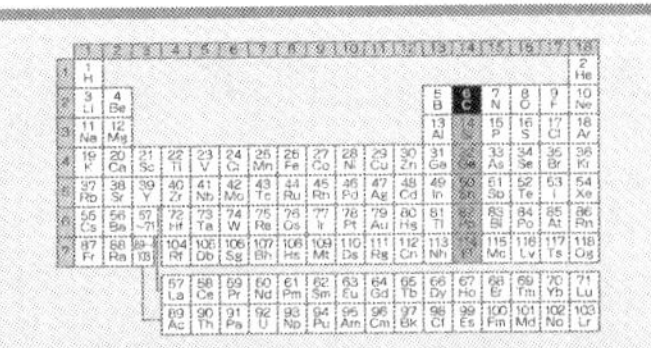

元素名の由来

ラテン語の「木炭（Carbo）」。

発見時のエピソード

石灰石を加熱したときと，炭酸塩に酸をかけたときに発生する気体が同じであることに気づき，報告しました（のちに二酸化炭素と判明）。フランスの化学者のド・モルヴォーやラボアジエらによって「炭素」と名づけられました。

非金属（気体）　地殻に含まれる割合　人工元素

窒素は，私たちの体重の約3パーセントを占めます。体の中では，アミノ酸などの化合物として存在しています。アミノ酸はタンパク質の部品で，タンパク質は筋肉や骨，血液などを構成する生物に欠かせない材料です。

ただし，窒素は空気の約8割を占めているにもかかわらず，呼吸で摂取することができません。食事で摂取しています。

また，窒素は沸点が低いことが特徴で，その値はマイナス195.8℃です。したがって液体窒素の温度はマイナス195.8℃以下と極低温で，冷却剤として食材のフリーズドライや細胞の保存などに利用されています。

基礎データ

【陽子数】7　【価電子数】5
【原子量】14.00643～14.00728
【融　点】-209.86
【沸　点】-195.8
【密　度】0.0012506
【存在度】［地球］25ppm
［宇宙］3.13×10^6
【存在場所】空気中，硝石（インド），
チリ硝石（チリ）
【価　格】80円（$1m^3$あたり）♣
【発見者】D・ラザフォード
（スコットランド）
【発見年】1772年

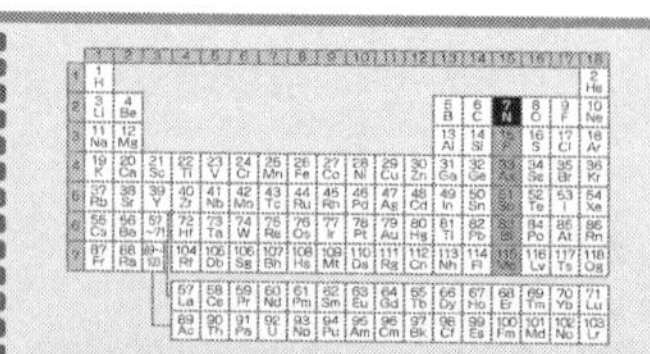

元素名の由来

ギリシア語の「硝石（nitre）」と「生じる(genes)」。

発見時のエピソード

大気中で炭素化合物を燃焼させ，そこから二酸化炭素を除いたときに残る気体として単離しました。「窒素」と名づけたのは，フランスの化学者のシャプタルです。

金属（固体）　金属（液体）　非金属（固体）　非金属（液体）

酸素
Oxygen

酸素は，体積にすると，約21パーセントの割合で大気中に存在しています。しかし原始の地球の大気には，ほとんど酸素がなかったといいます。現在の大気中の酸素は，光合成を行う生物が，二酸化炭素と水からつくったものなのです。

光合成は，植物の葉の細胞の中にある葉緑体で行われます。光合成で生成された酸素は，気孔から大気中へと放出されます。その一部は成層圏まで上がり，酸素分子からオゾン分子となります。そして，オゾン分子は太陽から降りそそぐ有害な紫外線を吸収して，陸上の生命を守っているのです。

基礎データ

【陽子数】8　【価電子数】6
【原子量】15.99903 ～ 15.99977
【融　点】-218.4
【沸　点】-182.96
【密　度】0.001429
【存在度】［地球］47万4000ppm
［宇宙］2.38×10^7
【存在場所】空気中，水
【価　格】400円（1m³あたり）♣
【発見者】シェーレ（スウェーデン）
プリーストリー（イギリス）
【発見年】1771年

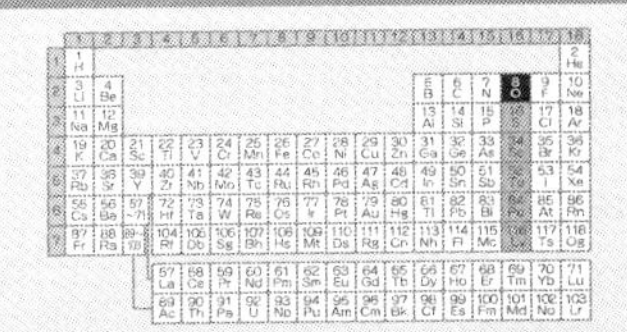

元素名の由来

ギリシア語の「酸（oxys）」と「生じる（genes）」。

発見時のエピソード

シェーレは酸素の性質をはじめて調べ，くわしく文章化しましたが，出版社の遅れで本の発行が1777年になってしまいました。それに先だってプリーストリーに酸素についての研究を1771年に発表されてしまったため，後年，酸素の発見者について論争がおきました。

フッ素
Fluorine

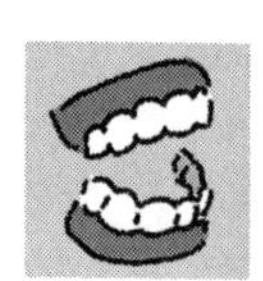

フッ素は反応性が高く，ヘリウムとネオン以外のすべての元素と反応して，化合物をつくります。そのため，単体では自然界にほとんど存在せず，ホタル石や氷晶石に含まれています。

身近なところでは，フッ素と炭素からなるフッ素樹脂をコーティングしたフライパンや，なべなどが知られています。フッ素樹脂は熱に強く，水や油をはじくのが特徴です。

また，フッ素は歯の再石灰化を促進します。食事などで口内が酸性になったとき，歯からカルシウムがとけだすのを抑制し，虫歯を予防する効果があります。

基礎データ

【陽子数】9　【価電子数】7
【原子量】18.998403163
【融　点】-219.62
【沸　点】-188.14
【密　度】0.001696
【存在度】［地球］950ppm
［宇宙］843
【存在場所】ホタル石（メキシコなど）
氷晶石（西グリーンランドの大ペグマタイト鉱床が主産地）
【価　格】81円（1kgあたり）◆
ホタル石
【発見者】モアッサン（フランス）
【発見年】1886年

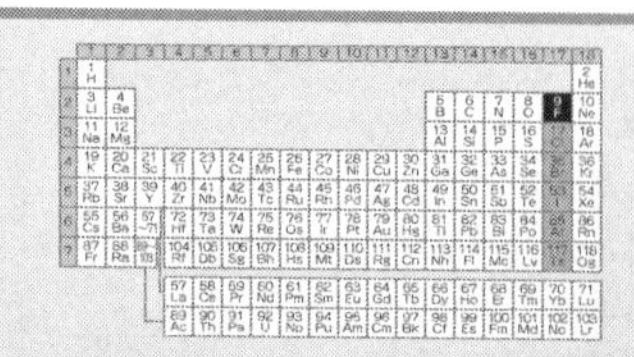

元素名の由来

ラテン語の「ホタル石（fluorite）」。

発見時のエピソード

フッ素は反応性の高い物質で，フッ素を得ようとして失敗した人の中には，中毒によって命を落とす人もいました。はじめて単離に成功したモアッサンには，1906年にノーベル化学賞が与えられました。

金属（固体）　金属（液体）　非金属（固体）　非金属（液体）

ネオン
Neon

 0.00007ppm

ネオンは貴ガスの仲間で，ネオンを封入した管に電圧をかけると，赤色の光を発して輝きます。このネオンの特徴を利用したのが，夜の街を彩るネオンサインです。

ネオンサインのガラス管の中では電子が放電されており，その電子によってネオン原子の電子が励起状態になって，それが元に戻るときに赤色の光を発するしくみです。

ネオンをほかの貴ガスとともに封入すれば，多種類の色を発光させることもできます。たとえば，アルゴンは青紫の光を発するため，ネオンと混ぜることで赤と青紫の中間の色を発光させることができるのです。

基礎データ

【陽子数】10　【価電子数】0
【原子量】20.1797
【融　点】-248.67
【沸　点】-246.05
【密　度】0.0008999
【存在度】［地球］0.00007ppm
［宇宙］3.44×10^6
【存在場所】空気中
【価　格】—
【発見者】ラムゼー（スコットランド）
トラバース（イギリス）
【発見年】1898年

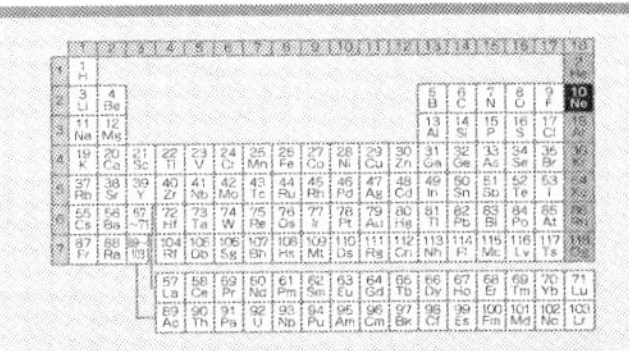

元素名の由来

ギリシア語の「新しい（neos）」。

発見時のエピソード

液体空気の分別蒸留によって，クリプトン，キセノンなどとともにネオンが分離されました。この発見により，周期表の正しさがより確実なものとなりました。

ヘリウムで声がかわるのはなぜ?

パーティーグッズの一つに，吸うと声が高くなる「変声ガス」があります。この変声ガスには，ヘリウムガス(He)がまぜられています。なぜヘリウムガスを吸うと，声が高くなるのでしょうか。

ヒトは，肺から出す空気で声帯を振動させて，声のもとになる音を出します。**声帯から出る音は，声帯が長い人ほど音の振動数(1秒間に振動する回数)が少なく，低い音になります。**さらにヒトは，この音を喉の空間や口の中(口腔)，鼻の中(鼻腔)で共鳴させて強め，声として発しています。

ところが，音の通り道にヘリウムガスが含まれると，気体の密度が空気よりも小さいため，音が空気中よりも速く進み，振動数の多い高い音になります。そしてその高い音が，喉や口，鼻の中で共鳴して，高い声として発せられます。これが，ヘリウムガスを吸うと，声が高くなる理由です。同じ声帯から出る音でも，気体の密度によって，声の高さがかわるのです。

注：酸素ガス（O_2）が含まれない風船用のヘリウムガスを吸うと，窒息してしまいます。また，変声ガスを大量に吸うと，意識を失う危険性があります。十分注意してください。

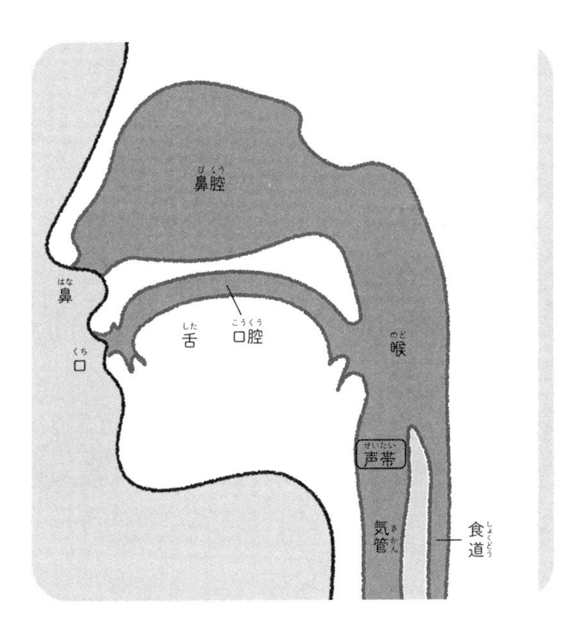

ナトリウム
Sodium

 23000ppm

最も身近なナトリウムといえば，塩化ナトリウム（食塩）があげられます。体内ではナトリウムイオンと塩化物イオンとして存在し，神経や筋肉のはたらきを調整したり，消化を助けたりするはたらきがあります。人体にとって不可欠な無機質の一つです。

かつてはトンネルの内部や高速道路などの照明には黄色のナトリウムランプが使われていました。黄色に輝いているのは，ナトリウムの炎色反応によるものです。しかし，現在では，消費電力が少なく，より明るいLEDランプが使われています。

基礎データ

【陽子数】11　【価電子数】1
【原子量】22.98976928
【融　点】97.81
【沸　点】883
【密　度】0.971
【存在度】［地球］2万3000ppm
［宇宙］5.74×10^4
【存在場所】岩塩（世界各地），ソーダ灰（アメリカ，ボツワナなど）
【価　格】4円（1gあたり）★
塩化ナトリウム
【発見者】デービー（イギリス）
【発見年】1807年

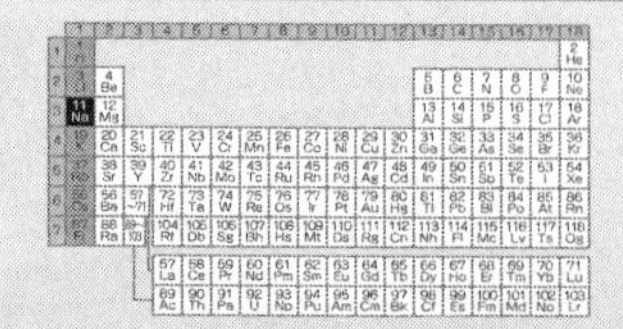

元素名の由来

アラビア語の「ソーダ(suda)」。sudaは頭痛を治す物質の意味で，現在の炭酸ナトリウムをさす言葉です。

発見時のエピソード

水酸化ナトリウムを電気分解して，単体のナトリウムを単離しました。

金属（固体）　金属（液体）　非金属（固体）　非金属（液体）

マグネシウム
Magnesium

マグネシウムは，6番目に軽い金属です。マグネシウム合金は軽量なうえに堅牢なため，ノートパソコンの外箱などに使われています。ただし，マグネシウム合金は非常にさびやすいため，表面をコーティングする必要があります。また，次世代新幹線の車輌の床板に，マグネシウム合金が使われる予定です。

植物が行う光合成でも，マグネシウムは重要な役割を果たしています。植物の葉緑体にある「クロロフィル」は，マグネシウムをその構造の中心にもち，光を電子に変換します。この電子が，有機物の合成に使われます。

豆腐をつくるときに使う「にがり」の主成分は塩化マグネシウムです。

基礎データ

【陽子数】12　【価電子数】2
【原子量】24.304 ～ 24.307
【融　点】648.8
【沸　点】1090
【密　度】1.738
【存在度】［地球］2万3000ppm
［宇宙］1.074×10^6
【存在場所】ドロマイト（世界各地）マグネサイト（中国，ロシア，北朝鮮など）
【価　格】3万6000円（1kgあたり）■インゴット
【発見者】ブラック（スコットランド）
【発見年】1755年

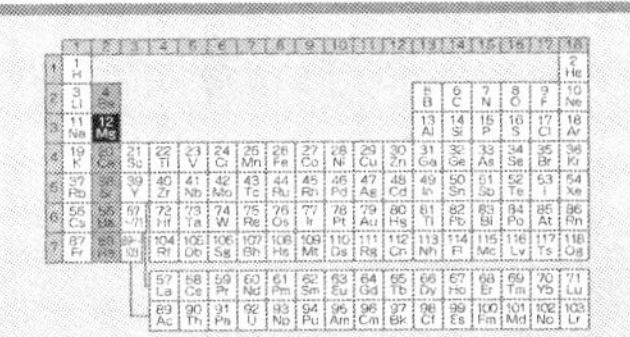

元素名の由来

ギリシアのマグネシア地区にあったマグネシア石。

発見時のエピソード

最初にマグネシウムを元素として認識したのがブラックです。1808年に，デービーが電気分解法を用いて金属を単離し，「マグネシウム」と名づけました。

アルミニウム
Aluminium

アルミニウムは，地殻中に酸素，ケイ素についで豊富で，金属元素として最も多く存在します。金属アルミニウムの工業生産がはじまったのは，19世紀半ばであり，当初は非常に貴重な金属でした。現在では大量に生産され，軽さや腐食のしにくさなどを生かして，私たちの身のまわりで利用されています。

金属アルミニウムは銀白色の軽金属です。空気中では，表面が薄い酸化保護膜におおわれるため，内部まで酸素が行き渡らず，腐食しにくくなります。1円硬貨や鉄道の車体のほか，抗潰瘍薬など幅広い分野で活用されています。

基礎データ

【陽子数】13　【価電子数】3
【原子量】26.9815385
【融　点】660.32
【沸　点】2467
【密　度】2.6989
【存在度】［地球］8万2000ppm
［宇宙］8.49×10^4
【存在場所】ボーキサイト（ギニアなど）
【価　格】1万円（100gあたり）■インゴット
【発見者】エルステッド（デンマーク）
【発見年】1825年

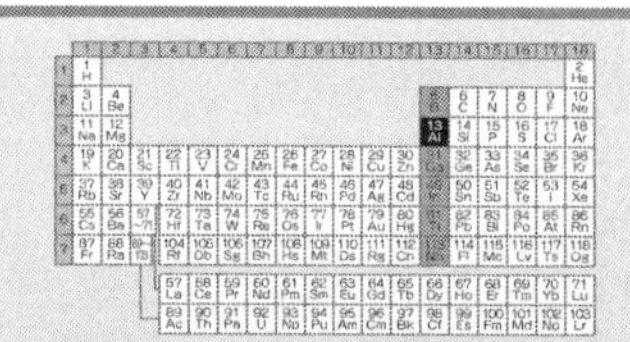

元素名の由来

古代ギリシアやローマのミョウバンの古名「アルメン(alumen)」。

発見時のエピソード

1807年にデービーが，ミョウバンから得た金属の酸化物を「アルミニウム」と名づけました。純粋金属の単離は，1825年にエルステッドが行いました。アルミニウムの近代的な工業生産法は，アメリカのホールとフランスのエルーによってそれぞれ独自に開発されました。

金属（固体）　金属（液体）　非金属（固体）　非金属（液体）

ケイ素
Silicon

ケイ素は代表的な半導体です。シリコン（Silicon）という英語名のほうがわかりやすいという人もいるかもしれません。半導体とは，条件しだいで電気を通したり通さなかったりする物質のことです。

この半導体としての性質を利用して開発されたものが，LSI（半導体集積回路）です。現在ではパソコンなどの各種電子製品に搭載されています。ケイ素は，現代のエレクトロニクス文明を支える元素といえるのです。

またケイ素は，太陽電池の重要な材料でもあります。太陽光を受けるパネルの材料として，ケイ素の結晶が最も普及しています。

基礎データ

【陽子数】14　【価電子数】4
【原子量】28.084～28.086
【融　点】1410
【沸　点】2355
【密　度】2.3296
【存在度】［地球］27万7100ppm
［宇宙］1.00×10^{6}
【存在場所】石英など（多くの岩石中に存在）
【価　格】5円（1gあたり）■二酸化ケイ素
【発見者】ベルセーリウス（スウェーデン）
【発見年】1824年

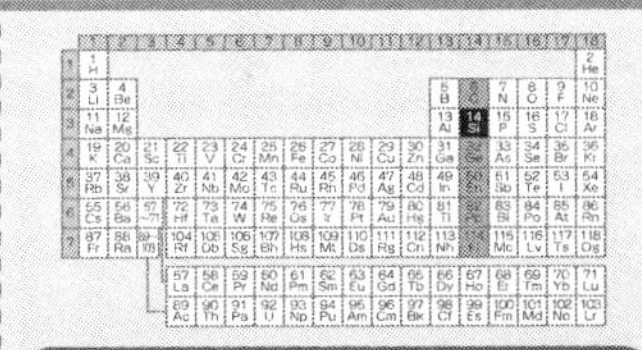

元素名の由来

英語名はラテン語の「火打ち石（silicisまたはsilex）」。

発見時のエピソード

フッ化ケイ素を金属カリウムで還元して単離しました。純粋なケイ素の結晶は，フランスのドービルが1854年につくりました。

リン
Phosphorus

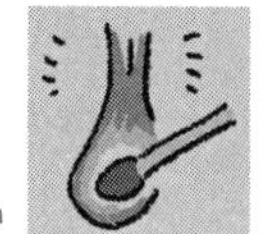

リンは，生体中のさまざまな化合物を構成しており，生物にとって不可欠な元素です。リン酸カルシウムは，骨や歯をつくっています。また，リンは，窒素とカリウムとともに肥料の三要素の一つです。

そして，生体内のエネルギー源になるATPもリンの化合物です。ATPのエネルギーを使うことで，筋肉は動いています。

身近なところでは，マッチの発火剤として使用されています。また，心霊現象の人だまは，土葬された人体のリンが地上に出て燃えたものだとする説が広まりましたが，信憑性は高くないようです。

基礎データ

【陽子数】15　【価電子数】5
【原子量】30.973761998
【融　点】44.2
【沸　点】280
【密　度】1.82（白リン）
【存在度】［地球］1000ppm
［宇宙］1.04×10^4
【存在場所】リン灰石など
（モロッコなど）
【価　格】18円（1mlあたり）★
リン酸（素材）
【発見者】ブラント（ドイツ）
【発見年】1669年

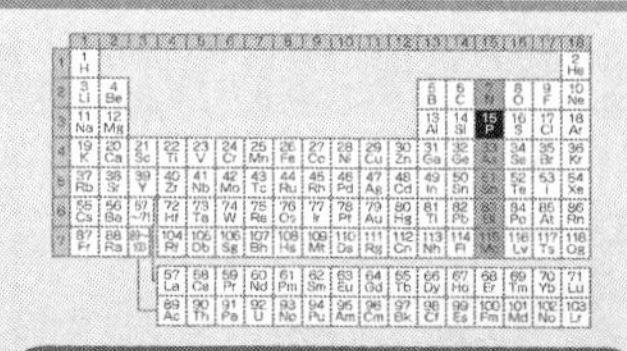

元素名の由来

ギリシア語の「光（phos）」と「運ぶもの（phoros）」。

発見時のエピソード

錬金術師のブラントが人尿からリンを取りだしました。ヒトの体内から発見されるのは，きわめてめずらしい例です。ブラントのリンの発見後，自然界，たとえば鉱物，植物や空気から，多くの元素が発見されていきました。

硫黄
Sulfur

温泉地などに行くと，よく「硫黄のにおいがする」といいますが，実はにおいの元は硫黄の化合物の硫化水素です。硫黄の単体は無臭なのです。

硫黄は，ゴムに弾力性をあたえる効果があります。ゴムタイヤは，ゴムに強度をあたえる炭素といっしょに，硫黄をまぜあわせてつくられています。街中を走る自動車のタイヤにも数％の割合で硫黄が使われています。

また，硫黄はマッチや火薬，医薬品の原料としても利用されています。ヒトの必須アミノ酸であるシステインやメチオニンにも硫黄が含まれています。

基礎データ

【陽子数】16　【価電子数】6
【原子量】32.059 ～ 32.076
【融　点】112.8(α)，119.0(β)
【沸　点】444.674(β)
【密　度】2.07(α)，1.957(β)
【存在度】[地球]260ppm
[宇宙]5.15×10^5
【存在場所】石膏など（石膏は最も普通に産出する硫酸塩鉱物）
【価　格】6円（1gあたり）★
粉末
【発見者】―
【発見年】―

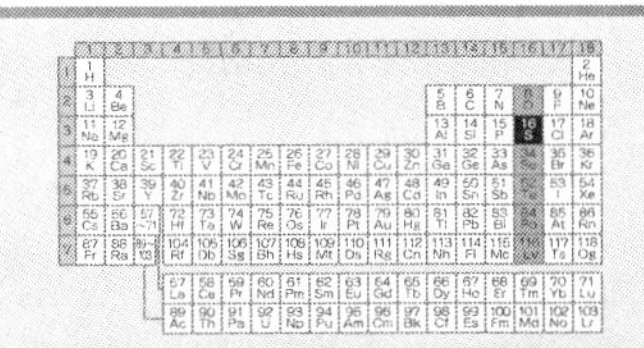

元素名の由来

サンスクリットの「火のもと(sulvere)」に由来するラテン語の「硫黄(sulpur)」。

発見時のエピソード

硫黄は天然に結晶として産出するため，古くから存在は知られていました。元素として指摘したのはラボアジエです。

塩素
Chlorine

塩素の最も身近な例は，塩化ナトリウム（食塩）でしょう。塩素は，強い酸化力と殺菌力があります。そのため，衣服や食器の漂白剤，また飲用水やプールなどの消毒剤として使用されています。塩素を含む家庭用の漂白剤などに「混ぜるな危険」とあるのは，酸性物質と混ぜると有毒な塩素ガスが発生するからです。塩素ガスは第一次世界大戦で，毒ガス兵器として使用されたほど強い毒性をもっているのです。

そのほか，塩素の化合物は，食品用ラップ（ポリ塩化ビニリデン）やポリ塩化ビニルなどさまざまな分野で利用されています。

基礎データ

【陽子数】17　【価電子数】7
【原子量】35.446 ～ 35.457
【融　点】-101.0
【沸　点】-33.97
【密　度】0.003214
【存在度】［地球］130ppm
［宇宙］5240
【存在場所】岩塩など
（岩塩は世界中で産出）
【価　格】55円（1gあたり）★
過塩素酸
【発見者】シェーレ（スウェーデン）
【発見年】1774年

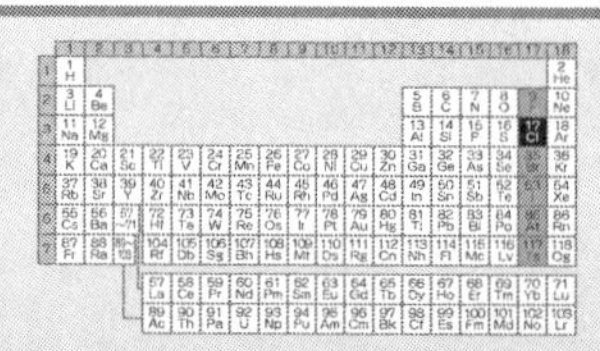

元素名の由来

ギリシア語の「黄緑色（chloros）」。

発見時のエピソード

二酸化マンガンに塩酸を加えて発見しました。当初は化合物と考えられていました。1810年に，イギリスのデービーが塩素を元素として認識しました。

アルゴン
Argon

1.2ppm

アルゴンが利用されている最も身近なものは，蛍光灯です。蛍光灯には，水銀蒸気と，不活性ガスであるアルゴンガスが充填されています。電極に放電がおきると，電子が飛びでて，水銀原子にぶつかります。ぶつかるときに発生する紫外線がガラス管の内側に塗ってある蛍光体に当たり，白い可視光が発生します。不活性ガス以外の気体だと，大きな電流が流れてしまいますが，アルゴンが封入されていることで，放電が一定に保たれます。

また，住宅などの断熱性を高めるために用いられる複層ガラスは，2枚のガラスの間にアルゴンが封入されています。

基礎データ

【陽子数】18　【価電子数】0
【原子量】39.948
【融　点】-189.3
【沸　点】-185.8
【密　度】0.001784
【存在度】［地球］1.2ppm
［宇宙］1.04×10^5
【存在場所】空気中
【価　格】1200円（$1m^3$あたり）♣
【発見者】レーリー（イギリス）
【発見年】1894年

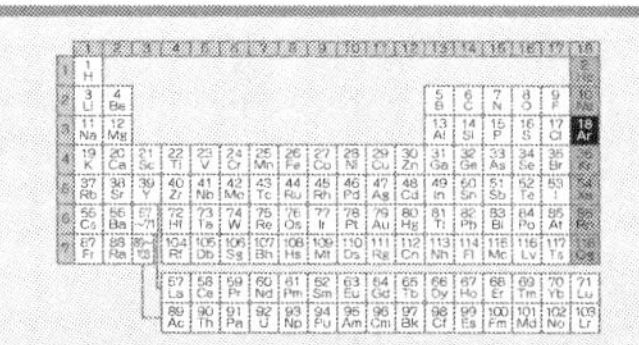

元素名の由来

ギリシア語の「怠け者（argos）」。

発見時のエピソード

1892年にイギリスの科学者レーリーが，アルゴンの存在を示唆する論文を発表しました。それを読んだラムゼーが研究に加わり，大気中から新たな気体を分離することに成功して，「アルゴン」と命名しました。

非金属（気体）　地殻に含まれる割合　人工元素

塩なのに「減塩」ってどういうこと？

塩分のとりすぎは，高血圧などの生活習慣病につながると考えられています。そこで，減塩醤油や減塩味噌などの，塩分をおさえた商品が販売されています。そうした商品の一つに，「減塩の塩」があります。塩なのに減塩とは，いったいどういうことなのでしょうか。

一般的な食塩は，主成分が塩化ナトリウム（NaCl）です。塩化ナトリウムは，体内に吸収されるとナトリウムイオン（Na^+）と塩化物イオン（Cl^-）にわかれます。**そして，ナトリウムイオンが，血圧を上昇させるといわれています。**

そこで減塩の塩では，塩化ナトリウムの一部が，塩化カリウム（KCl）に置きかえられています。こうすることで，食塩を減らしたのと同じ効果が得られるといいます。さらに，塩化カリウムがわかれてできるカリウムイオン（K^+）は，血液中からナトリウムイオンと水分を排出し，血圧を下げる効果もあるといわれています。これが，減塩の塩の正体です。

注：減塩の塩は腎臓の負担が大きくなるので，腎臓に障害がある人は使うことができません。

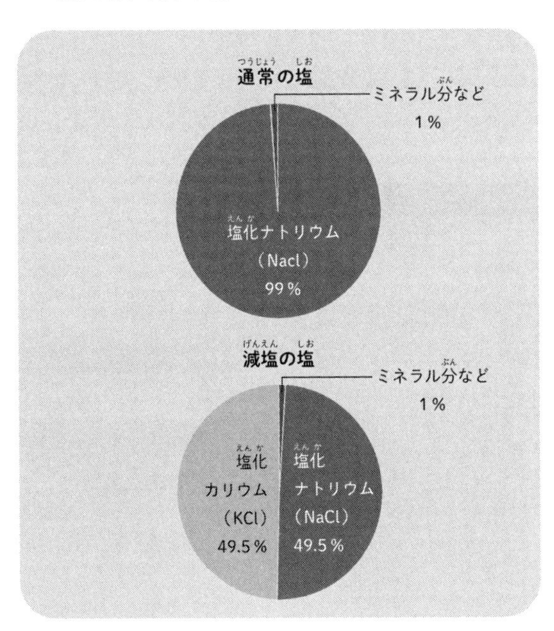

カリウム
Potassium

 21000ppm

カリウムは，窒素やリンと同様に，植物体内における含有量が高い元素です。これら三つの元素は，農作物や植物にあたえる肥料の三要素とよばれています。

また植物にとって，気孔は，酸素や二酸化炭素が出入りする重要な器官です。カリウムは，その気孔の開閉に重要な役割を果たしています。気孔の細胞内にカリウムイオンが取りこまれることで，細胞内外のイオン濃度に差が生じ，これによって気孔の開閉が引きおこされるのです。

そのほか，カリウムの化合物は，マッチや花火，石けんなどに利用されています。

基礎データ

【陽子数】19　【価電子数】1
【原子量】39.0983
【融　点】63.65
【沸　点】774
【密　度】0.862
【存在度】［地球］2万1000ppm
［宇宙］3770
【存在場所】カリ岩塩，カーナル石（カナダ，ロシアなど）
【価　格】2700円（1kgあたり）★
塩化カリウム
【発見者】デービー（イギリス）
【発見年】1807年

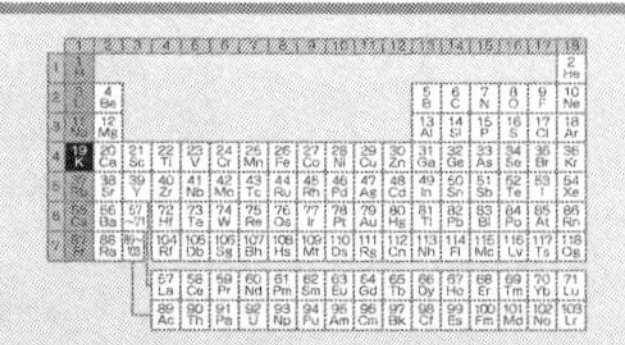

元素名の由来

アラビア語の「アルカリ（qali）」。

発見時のエピソード

水酸化カリウムの電気分解によって単離されました。カリウムは，電気分解法によってはじめて得られた元素です。

カルシウム
Calcium

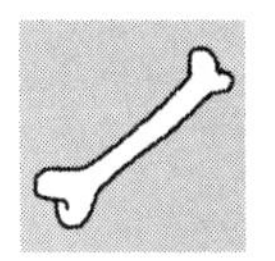

カルシウムというと，骨を思い浮かべる人も多いでしょう。脊椎動物の体内では，骨や歯を形づくるリン酸カルシウムに含まれています。

カルシウムは，筋肉が収縮するときにも必要となります。また，骨のカルシウムは，血液中に放出され，ホルモンなどの作用を助けるカルシウム源としても利用されます。カルシウムが不足するとイライラするといわれており，カルシウムをあつかった健康食品が普及しています。

街中では，建物の建設に使われるセメントにもカルシウムが利用されています。

基礎データ

【陽子数】20　【価電子数】2
【原子量】40.078
【融　点】839
【沸　点】1484
【密　度】1.55
【存在度】［地球］4万1000ppm
［宇宙］6.11×10^4
【存在場所】石灰，ホウカイ石
（石灰岩として世界各地に存在する）
【価　格】6円（1gあたり）★
酸化カルシウム
【発見者】デービー（イギリス）
【発見年】1808年

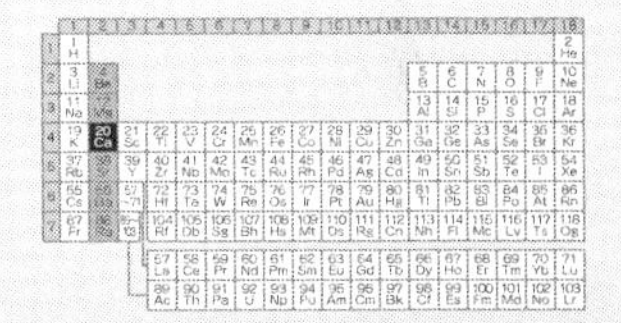

元素名の由来

ラテン語の「石灰（calx）」。

発見時のエピソード

デービーが石灰を電気分解して，カルシウムを発見しました。「カルシウム」と名づけたのもデービーです。

スカンジウム

Scandium

スカンジウムは存在量が少なく高価なため，あまり用途開発が進んでいません。主な用途はランプです。スカンジウムを使用したランプは，太陽光に近い光を発するため，野球場などの夜間照明に使われています。

スカンジウムランプは中に封入する金属の組み合わせで，効率，寿命，光色といった特性をかえられるメリットがあります。しかし近年は，電力コストなどの見地から，LEDライトへの変換も進んでいます。

また，アルミニウムにスカンジウムを0.3％加えた合金は強度が高いため，自転車のフレームや金属バットなどに用いられています。

基礎データ

【陽子数】21　【価電子数】—
【原子量】44.955908
【融　点】1541
【沸　点】2831
【密　度】2.989
【存在度】［地球］16ppm
［宇宙］33.8
【存在場所】トルトバイト石
（ノルウェー，ロシアなど）
【価　格】3万1200円（1gあたり）★
フッ化スカンジウム
【発見者】ニルソン（スウェーデン）
【発見年】1879年

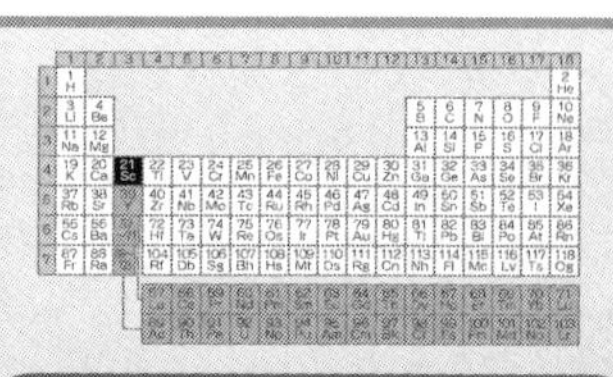

元素名の由来

ラテン語の「スウェーデン（scandia）」。

発見時のエピソード

ニルソンが，ガドリン石という鉱物から発見し，スカンジウムと命名しました。

金属（固体）　金属（液体）　非金属（固体）　非金属（液体）

チタン
Titanium

チタンは強くて軽く，さびにくいなどのすぐれた特徴をもっています。アクセサリーやメガネフレーム，ゴルフクラブなど，さまざまな用途に利用され，現代社会ではアルミニウムと並んで大きな役割をになっています。最近は，スマートフォンのiPhoneのステンレススチールフレームにチタンを加えて，軽量化が進められています。

化合物の二酸化チタンは，光（紫外線）があたると，よごれなどを分解する「光触媒効果」と，水をはじきにくくする「親水化」がおこります。トイレの床に使うと，よごれが分解され，においが発生しにくくなります。

基礎データ

【陽子数】22　　【価電子数】—
【原子量】47.867
【融　点】1660
【沸　点】3287
【密　度】4.54
【存在度】［地球］5600ppm
［宇宙］2400
【存在場所】ルチル，イルメナイト（インドなど）
【価　格】480円（1gあたり）■小片
【発見者】グレゴール（イギリス）
クラプロート（ドイツ）
【発見年】1791年

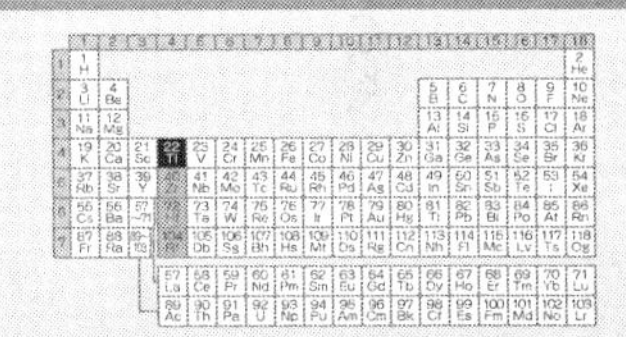

元素名の由来

ギリシア神話の巨人「タイタン（Titan）」。

発見時のエピソード

牧師のグレゴールが川砂から集めた黒い物質から発見し，クラプロートが1795年に「チタン」と命名しました。

非金属（気体）　地殻に含まれる割合　人工元素

バナジウム
Vanadium

バナジウムはかたく，耐食性，耐熱性にすぐれた元素です。単体では化学プラント用の配管などに利用されています。また，バナジウムを添加した鉄鋼は，原子炉やターボエンジンのタービンなどの高温な環境で用いられています。

そのほか，ドリルやスパナなどの工具にも使用されています。バナジウムを使った充電ができる電池（二次電池）は，環境負荷が少なく発電効率がよいという特徴があります。自然界では，キノコの一種のベニテングタケや，ある種のホヤは，バナジウムを含んでいることが知られています。

基礎データ

【陽子数】23　【価電子数】—

【原子量】50.9415

【融　点】1887

【沸　点】3377

【密　度】6.11

【存在度】［地球］160ppm
［宇宙］295

【存在場所】カルノー石，
パトロン石（中国など）

【価　格】372円（1gあたり）■塊

【発見者】デル・リオ（スペイン）
セフストレーム（スウェーデン）

【発見年】1801年，1830年

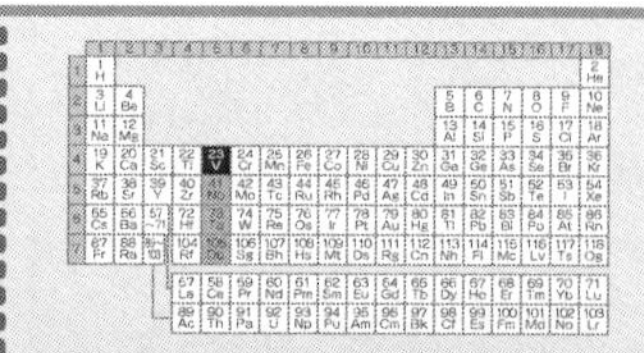

元素名の由来

スカンジナビアの愛と美の女神「Vanadis」。

発見時のエピソード

デル・リオが最初に発見したものの，フランスの化学者に誤りだと指摘されて撤回。セフストレームが再発見しました。

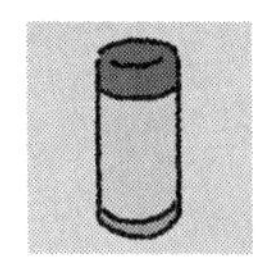

ボトルやキッチンのシンクなどに使われているステンレスは，私たちにとって身近な存在です。このステンレスとは，クロムと鉄の合金なのです。

クロムは耐食性にすぐれています。クロムのメッキでコーティングすると摩擦やさびから守られるため，自動車の装飾部分などに使われています。

また，クロムは三価クロムとして，落花生などのマメ類や玄米に含まれています。

基礎データ

【陽子数】24　【価電子数】—
【原子量】51.9961
【融　点】1860
【沸　点】2671
【密　度】7.19
【存在度】［地球］100ppm
［宇宙］1.34×10^4
【存在場所】クロム鉄鉱，紅鉛鉱（カザフスタン，南アフリカ，インドなど）
【価　格】1500円（1gあたり）■小片
【発見者】ボークラン（フランス）
【発見年】1797年

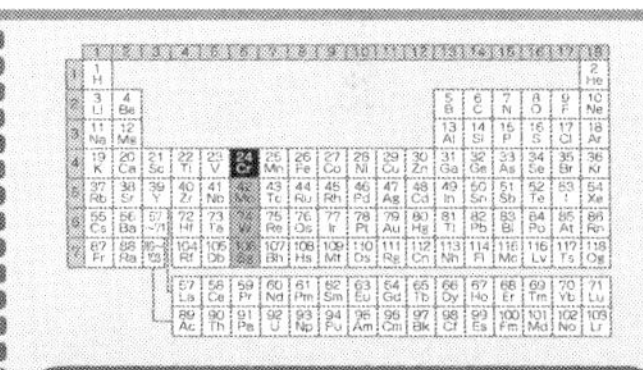

元素名の由来

ギリシア語の「色（chroma）」。

発見時のエピソード

シベリア産の紅鉛鉱から得たクロムの酸化物を還元して，クロム金属を発見。クロムと名づけたのは，ボークランの師のフールクロアと鉱物学者のアユイでした。

マンガン
Manganese

マンガンといえば，マンガン乾電池がよく知られていますが，現在はより容量が大きいアルカリ乾電池が普及しています。実は，アルカリ乾電池の正式名称はアルカリマンガン乾電池といい，アルカリ乾電池にもマンガンが使われています。身近なマンガンといえば今もやはり乾電池なのです。

また，マンガンは非常にもろいという特徴があります。鉄に添加してマンガン綱にすることで，衝撃や摩耗に強くなります。このように，マンガンを混ぜて鉄鋼の質を高めたり，アルミ合金の硬度や強度を高めたりするのも大きな用途となっています。

基礎データ

【陽子数】25　【価電子数】—
【原子量】54.938044
【融　点】1244
【沸　点】1962
【密　度】7.44
【存在度】［地球］950ppm
［宇宙］9510
【存在場所】軟マンガン鉱，ハウスマン鉱，海底のマンガン団塊（南アフリカなど）
【価　格】4500円（1gあたり）■小片
【発見者】ガーン（スウェーデン）
【発見年】1774年

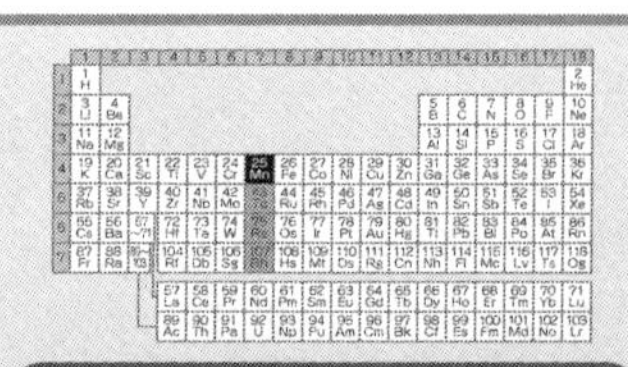

元素名の由来

ラテン語の「磁石（magnes）」。1808年に，クラプロート（ドイツ）が，マグネシウムとの混同がおきるため「マンガン」とするように提案しました。

発見時のエピソード

シェーレが軟マンガン鉱の中に新元素として発見しました。そのシェーレの友人であるガーンが，金属の単体として分離することに成功しました。

金属（固体）　金属（液体）　非金属（固体）　非金属（液体）

鉄
Iron

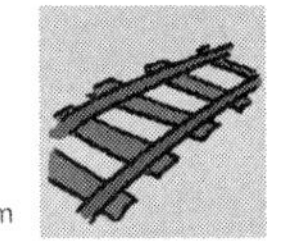

鉄は，人々の生活を支える中心的な金属元素です。造形がしやすく，かたくて丈夫なため，自動車の車体や電車のレール，スチール缶など，さまざまな用途に使われています。

また，鉄は私たちの体内にもあります。血液中の赤血球に含まれているヘモグロビンの中に鉄原子が存在します。鉄原子は，酸素の豊富な場所（肺など）に来ると酸素と結合します。逆に，酸素の少ない場所まで来ると，運んでいた酸素をはなす性質があります。この性質を利用して，鉄は肺から取り入れた酸素を体の各部へと運んでいく“運び屋”を担っているのです。

基礎データ

【陽子数】26　【価電子数】—
【原子量】55.845
【融　点】1535
【沸　点】2750
【密　度】7.874
【存在度】［地球］4万1000ppm
［宇宙］9.00×10^5
【存在場所】赤鉄鉱，磁鉄鉱
（中国，ウクライナ，ロシアなど）
【価　格】5万3000円（1t あたり）♣
鉄スクラップ
【発見者】—
【発見年】—

元素名の由来

ラテン語の「強い」や「硬い」を意味する「firmus」に由来する「ferrum」といわれていますが，くわしくはわかっていません。

発見時のエピソード

紀元前5000年ごろから使用されていたといわれています。

コバルト

Cobalt

 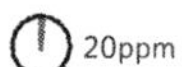

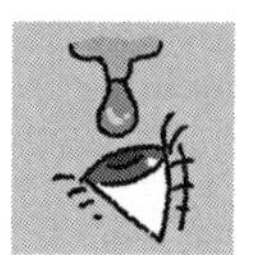

コバルトは，合金にするとかたくて丈夫になります。なかでも，コバルトとニッケル，クロム，モリブデンなどの合金は，高温でも強度が高いため，航空機やタービンなどに使われています。

コバルトは生命にとって必須でもあり，ビタミンB_{12}を構成する中心的な元素です。充血をおさえる目薬にも使われています。また，陶器やガラスなどを青く着色するための色素として用いられてきた歴史もあります。

基礎データ

【陽子数】27　【価電子数】—
【原子量】58.933194
【融　点】1495
【沸　点】2870
【密　度】8.90
【存在度】［地球］20ppm
［宇宙］2250
【存在場所】スマルタイト，輝コバルト鉱（コンゴ，キューバなど）
【価　格】108円（1gあたり）■インゴット
【発見者】ブラント（スウェーデン）
【発見年】1735年

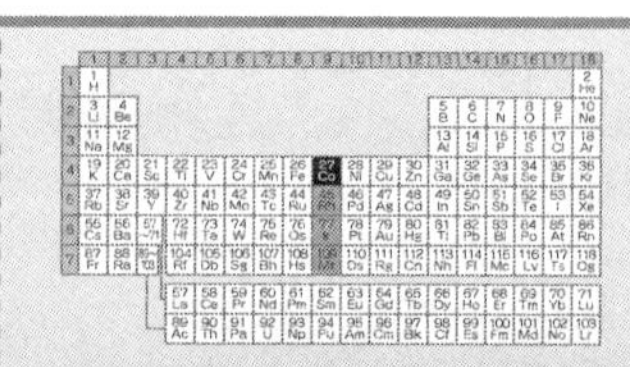

元素名の由来

ドイツ民謡に登場する「山の精（kobold）」。もしくは，ギリシア語の「鉱山（kobalos）」。

発見時のエピソード

1735年，ブラントが分離することにはじめて成功。1780年，ベリマンによって新元素であることが確認されました。

金属（固体）　金属（液体）　非金属（固体）　非金属（液体）

ニッケル
Nickel

  80ppm

ニッケルは常温で安定な金属で，メッキとしてよく使われます。また，ニッケルの合金にはさまざまな種類があり，私たちの生活のいたるところに見られます。

たとえば，100円硬貨はニッケルと銅の合金でできています。ニッケルを含んだ形状記憶合金は，人工衛星などの太陽電池パネルのバネ部分でも使用されています。そして，ニッケルと鉄の合金は，MRI（磁気共鳴画像装置）の磁気シールドに用いられています。

基礎データ

【陽子数】28　【価電子数】―
【原子量】58.6934
【融　点】1453
【沸　点】2732
【密　度】8.902
【存在度】［地球］80ppm
［宇宙］4.93×10^4
【存在場所】ラテライト，硫化鉱など
（カナダ，ニューカレドニアなど）
【価　格】2835円（1kgあたり）◆
ニッケル塊
【発見者】クローンステット
（スウェーデン）
【発見年】1751年

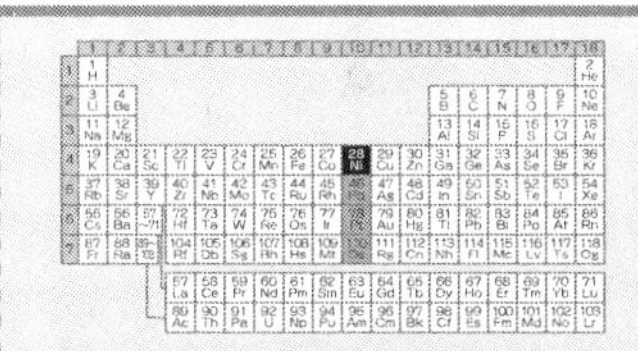

元素名の由来

ドイツ語の「銅の悪魔（Kupfernickel）」。

発見時のエピソード

1751年，クローンステットが分離に成功しました。

銅
Copper

銅は，人類が最も古くから生活に取り入れてきた元素の一つです。イラク北部では，紀元前8800年ごろに天然の銅からつくられたと考えられる小さなビーズがみつかっています。

銅には，薄くのばしてもこわれにくく，よくのびるという特性があります。また，熱と電気の伝導率が金属の中では銀についで2番目に高いため，調理なべや電線としてよく利用されています。

最も身近な銅といえば，10円硬貨でしょう。10円硬貨の成分は，銅が95％，亜鉛が3～4%，スズが約1～2％です。また，1円をのぞくすべての硬貨に銅が含まれています。

基礎データ

【陽子数】29　【価電子数】—
【原子量】63.546
【融　点】1083.4
【沸　点】2567
【密　度】8.96
【存在度】［地球］55ppm
［宇宙］522
【存在場所】黄銅鉱，赤銅鉱など（チリ，アメリカ，ポーランドなど）
【価　格】1165円（1kgあたり）♣
銅線
【発見者】—
【発見年】—

元素名の由来

古代の銅の産出地であるキプロス島（ラテン語で「Cuprum」）。

発見時のエピソード

古くから知られていた元素の一つ。

亜鉛
Zinc

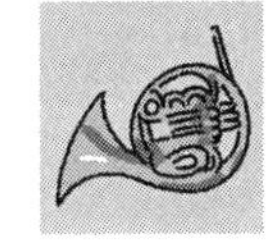

亜鉛が使われているものは身近にたくさんあります。たとえば，鉄板の表面に亜鉛メッキを施して耐食性を高めたトタンは，建築資材として幅広く使われています。また，銅に亜鉛を添加した合金は「しんちゅう」とよばれ，強くて加工が容易なため，楽器などに用いられています。「ブラスバンド」の「ブラス」とは「しんちゅう」のことです。

亜鉛は人体に必須の元素で，不足すると食べ物の味がわからなくなることがあります。体内の有害物質を無害化したり，有害金属を排出したりするなど，生きていくために重要な多くの役割を担っています。亜鉛を結合しているタンパク質や酵素は，3000種類以上があります。

基礎データ

【陽子数】30　【価電子数】—
【原子量】65.38
【融　点】419.53
【沸　点】907
【密　度】7.134
【存在度】[地球]75ppm
[宇宙]1260
【存在場所】閃亜鉛鉱など
（オーストラリアなど）
【価　格】240円（1kgあたり）♣
新切亜鉛
【発見者】マルクグラーフ（ドイツ）
【発見年】1746年

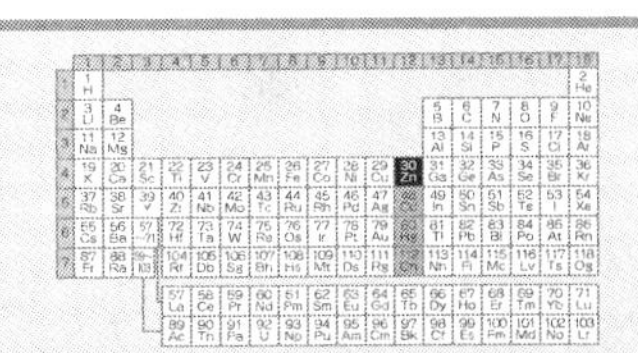

元素名の由来

ペルシア語の「石（sing）」，
ドイツ語の「フォークの先（Zink）」。

発見時のエピソード

単体の金属として製造しはじめたのは，13世紀ごろのインドだといわれています。1746年，マルクグラーフが閃亜鉛鉱から金属亜鉛を取りだし，その方法を書物に残しました。

ガリウム

Gallium

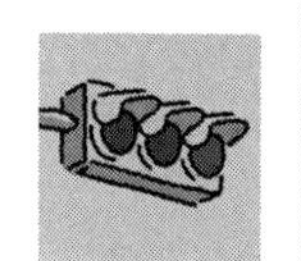

ガリウムは，比較的低い温度で液体の状態をとるまれな金属です。沸点が高く，きわめて広い温度範囲で液体の状態をとります。

最もよく知られる用途は，発光ダイオード（LED）です。発光ダイオードには3色があり，黄緑と赤はガリウムリン（GaP）を，青は窒化ガリウム（GaN）を材料としています。また，ガリウムを使った半導体はシリコンよりも発熱が少なく，パソコンから携帯電話まで広く使われています。

ガリウムはメンデレーエフが元素周期表を提案したときに，エカアルミニウムとして予想した元素でした。

基礎データ

【陽子数】31　【価電子数】3
【原子量】69.723
【融　点】27.78
【沸　点】2403
【密　度】5.907
【存在度】［地球］18ppm
［宇宙］37.8
【存在場所】ボーキサイト（ギニアなど）
ガライト（ナミビアなど）
【価　格】3800円（1gあたり）■小片
【発見者】ボアボードラン
（フランス）
【発見年】1875年

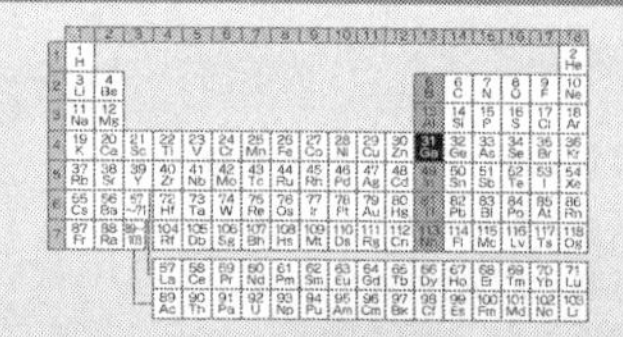

元素名の由来

発見者の祖国のラテン語名「Gallia」。

発見時のエピソード

亜鉛の発光スペクトルの中に未知の2本の線をみつけました。その後，閃亜鉛鉱からガリウムを単離しました。

ゲルマニウム

Germanium

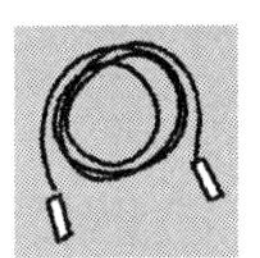

ゲルマニウムは，地殻に広く浅く分布している元素です。ケイ素（シリコン）と同じように半導体であるため，電子部品に利用されることがあります。また，インターネット社会に欠かせない，光ファイバーにも使われています。

近年は，美容や健康の分野で，ゲルマニウムが注目されるようになりました。ただし，ゲルマニウムの人体への効果は，明らかになっていません。

ゲルマニウムは，メンデレーエフが最初の周期表でエカケイ素として予想した元素でしたが，発見されたのは17年後でした。

基礎データ

【陽子数】32　【価電子数】4
【原子量】72.630
【融　点】937.4
【沸　点】2830
【密　度】5.323
【存在度】［地球］1.8ppm
［宇宙］119
【存在場所】カーボライト（フランス）
ストット石（ナミビア）
【価　格】164円（1gあたり）◆
塊 および粉末
【発見者】ビンクラー（ドイツ）
【発見年】1886年

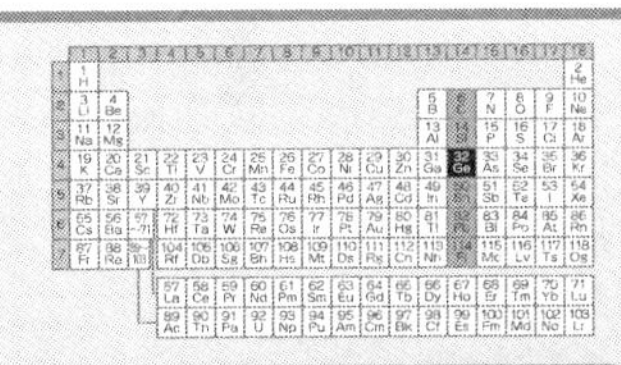

元素名の由来

発見者の祖国の古代名「ゲルマニア（Germania）」。

発見時のエピソード

硫銀ゲルマニウム鉱を化学的に分析しているときに発見しました。

ヒ素
Arsenic

ヒ素の化合物は，昔から毒薬として暗殺などに使用されてきたことが知られています。フランスのフローベールの小説『ボヴァリー夫人』は，急性ヒ素中毒を描いています。しかし最近は，ヒ素の化合物である三酸化二ヒ素が，急性前骨髄性白血病の治療に利用されています。ヒ素は，毒から薬へと見事に転身した元素です。

ガリウムとの化合物であるガリウムヒ素は，半導体として携帯電話の回路などに使用されています。また，CDプレーヤーやDVDプレーヤーのディスクを読み書きする赤い光にも，ガリウムヒ素が用いられています。

基礎データ

【陽子数】33　【価電子数】5
【原子量】74.921595
【融　点】817（灰色，28気圧）
【沸　点】616（灰色，昇華）
【密　度】5.78（灰色）
【存在度】［地球］1.5ppm
［宇宙］6.56
【存在場所】石黄（ペルーなど）
鶏冠石（ペルーなど）
【価　格】—
【発見者】マグヌス（ドイツ）
【発見年】13世紀

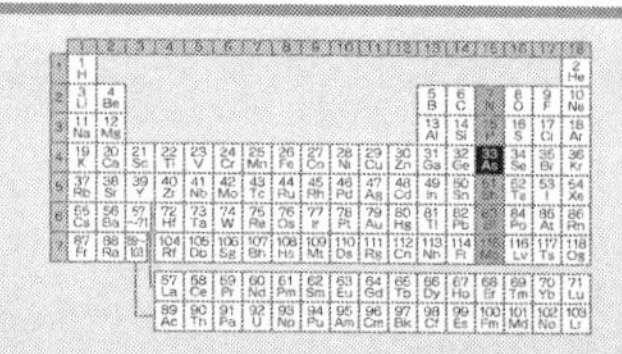

元素名の由来

ギリシア語の「黄色色素（硫黄）（arsenikon）」。

発見時のエピソード

ヒ素化合物を油に混ぜて熱し，単体を得ました。

金属（固体）　金属（液体）　非金属（固体）　非金属（液体）

セレン
Selenium

0.05ppm

セレンは，反応性に富む元素で，ほとんどの元素と結合することができます。人体にとっては必須なミネラルで，生活習慣病の予防などさまざまな効用があります。ただし，摂取しすぎると強い毒性を示します。

セレンを用いたアモルファスセレン膜は，夜間撮影用カメラの撮像管に使用されています。また，「光伝導性」という光が当たったときにだけ電気を流す性質をもつセレン化合物が，コピー機などに使われています。

基礎データ

【陽子数】34　【価電子数】6
【原子量】78.971
【融　点】217（金属）
【沸　点】684.9（金属，結晶）
【密　度】4.79（金属）
【存在度】［地球］0.05ppm
［宇宙］62.1
【存在場所】硫化物に伴って産出
【価　格】113円（1gあたり）■
粒状
【発見者】ベルセーリウス，
ガーン（ともにスウェーデン）
【発見年】1817年

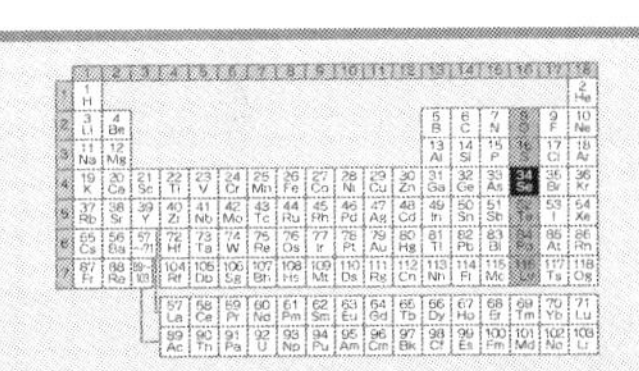

元素名の由来

ギリシア語の「月の女神（selene）」。

発見時のエピソード

ベルセーリウスとガーンは，テルルによく似た元素を発見しました。

非金属（気体）　地殻に含まれる割合　人工元素

臭素
Bromine

臭素は単体では天然に存在せず，鉱床中や海水中に臭化物として存在しています。常温・常圧では液体で，不快なにおいがします。

用途としては，化合物の臭化銀が使われている写真用フィルムの感光材があります。臭化銀は光を受けると分解し，銀が生成されます。これが写真の像となります。そのほか，巻貝のパープル腺から得られる「チリアンパープル」というあざやかな紫色の染料に臭素が含まれています。これはローマ時代から使われていたといいます。

基礎データ

【陽子数】35　【価電子数】7
【原子量】79.901 ～ 79.907
【融　点】-7.2
【沸　点】58.78
【密　度】3.1226
【存在度】[地球]0.37ppm
[宇宙]11.8
【存在場所】臭銀鉱(アメリカなど)
【価　格】470円(1gあたり)★
【発見者】バラール(フランス)
【発見年】1825年

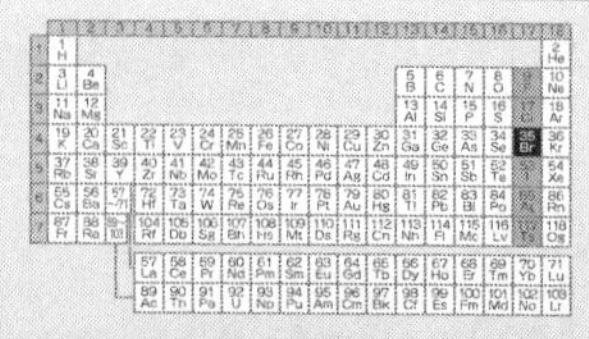

元素名の由来

ギリシア語の「悪臭(bromos)」。

発見時のエピソード

バラールは塩分の多い湖の水を蒸発させて，残った物質を研究する中で，臭素を発見しました。バラールはまた，海藻の灰からも臭素を発見しました。

金属(固体)　金属(液体)　非金属(固体)　非金属(液体)

クリプトン
Krypton

0.00001ppm

クリプトンは，貴ガスに属する非金属元素で，不活性な気体です。他の元素と結合して化合物をつくることもなく，単独で安定して存在します。

白熱電球にクリプトンガスを封入したものを，クリプトン電球といいます。クリプトンガスは，熱を伝えにくいので，電球のフィラメントを長もちさせ，通常の白熱電球よりも小型で明るくできます。そのほか，カメラのフラッシュなどにも利用されています。

基礎データ

【陽子数】36　【価電子数】0
【原子量】83.798
【融　点】-156.66
【沸　点】-152.3
【密　度】0.0037493
【存在度】[地球]0.00001ppm
[宇宙]45
【存在場所】空気中に微量
【価　格】—
【発見者】ラムゼー（スコットランド）
トラバース（イギリス）
【発見年】1898年

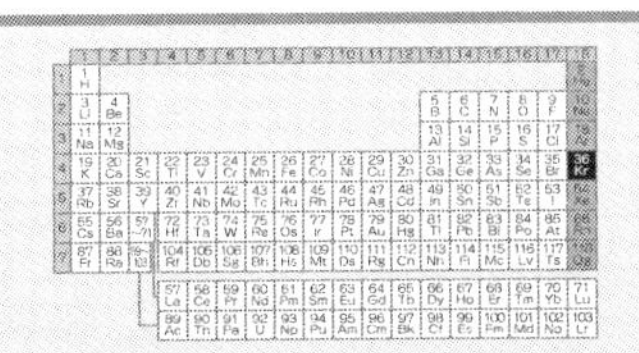

元素名の由来

ギリシア語の「かくされたもの（kryptos）」。

発見時のエピソード

沸点の違いを利用して液体空気から分離して得ました。

非金属（気体）　地殻に含まれる割合　人工元素

フッ素の「フッ」とは何？

日本語の元素名には，カタカナと漢字のまざったものがあります。たとえば「フッ素(F)」です。なぜ，こんな元素名になったのでしょうか。

実はフッ素は，もともと「弗素」という漢字で書かれていました。弗素という元素名は，明治時代の物理学者の市川盛三郎(1852～1882)がつけたようです。「弗」の字を使うようになったのは，江戸時代の蘭学者の宇田川榕菴(1798～1846)が，ラテン語の元素名の「fluorine」を「弗律阿里涅」とあらわしたことがはじまりといわれています。**つまりフッ素の「フッ」とは，弗律阿里涅の「弗」だったのです(諸説あります)。**

それが1946年に，「弗」が当用漢字(日常生活で使う漢字)からはずされると，弗素はフッ素と書か

れるようになりました。 元素名「フッ素」が誕生した背景には，こんな複雑な事情があったのです。「ホウ素（B）」「ケイ素（Si）」「ヒ素（As）」「ヨウ素（I）」も，似たような運命をたどった元素名です。

ルビジウム

Rubidium

ルビジウムの同位体^{87}Rbは放射性元素であり，核崩壊によってストロンチウムにかわります。その現象を利用したのが，数十億年前の年代測定に使われる「ルビジウム・ストロンチウム年代測定法」です。太陽系が46億年前に形成されたとするのも，この方法によるものです。

そのほか，誤差が少ないルビジウム原子時計や，GPSなどに使われるルビジウム発振器にも利用されています。

ルビジウムは銀白色のやわらかい固体であり，融点は低く約39℃です。空気中でもすぐに酸化され，水とは爆発的に反応します。炎色反応では濃い赤色を出します。

基礎データ

【陽子数】37　【価電子数】1
【原子量】85.4678
【融　点】39.31
【沸　点】688
【密　度】1.532
【存在度】［地球］90ppm
［宇宙］7.09
【存在場所】紅雲母（リチア雲母）中に3.15%含まれる
【価　格】5万2500円（1gあたり）■小片
【発見者】ブンゼン，キルヒホフ（ともにドイツ）
【発見年】1861年

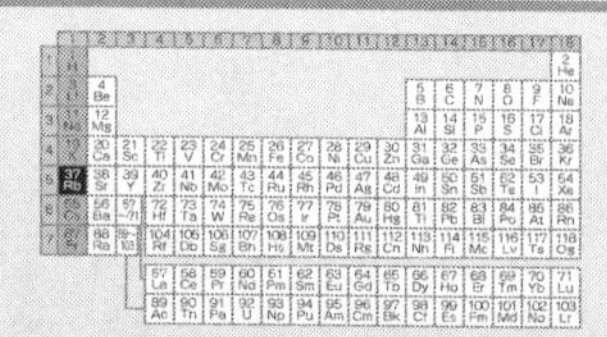

元素名の由来

ラテン語の「深い赤色（rubidus）」。

発見時のエピソード

リチウムが含まれる紅雲母（リチア雲母）から，スペクトル測定により発見されました。

金属（固体）　金属（液体）　非金属（固体）　非金属（液体）

ストロンチウム

Strontium

ストロンチウムは銀白色のやわらかい金属元素で，水とはげしく反応します。塩化ストロンチウムは，燃焼すると赤い色を出すので，花火や警戒信号灯などに使われています。

そのほか，ストロンチウムの炭酸塩がブラウン管やディスプレイに使用するガラスの原料として利用されています。

福島第一原子力発電所の事故後，放射性物質として耳にするストロンチウムは同位体で，産業利用されているものとはことなります。

同位体のストロンチウム90は，惑星探査機などの原子力電池として，またストロンチウム89は，骨のがんの治療に用いられています。

基礎データ

【陽子数】38　【価電子数】2

【原子量】87.62

【融　点】769

【沸　点】1384

【密　度】2.54

【存在度】［地球］370ppm
［宇宙］23.5

【存在場所】天青石，ストロチアン石（メキシコなど）

【価　格】1080円（1gあたり）■小片

【発見者】ホープ，クロフォード（ともにイギリス）

【発見年】1787年

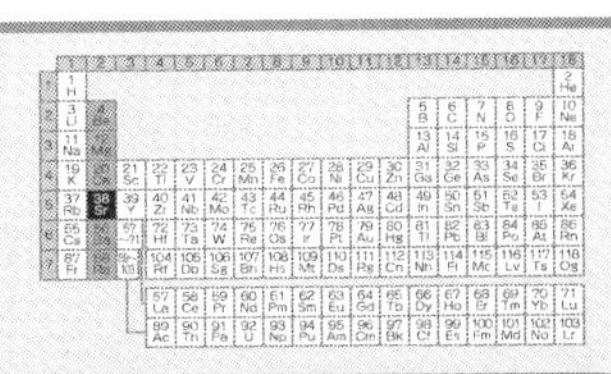

元素名の由来

鉱物のストロチアン石。

発見時のエピソード

スコットランドの鉱山で発見された鉱物を分析して発見しました。

非金属（気体）　地殻に含まれる割合　人工元素

イットリウム

Yttrium

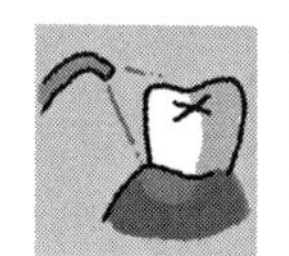

イットリウムは，銀白色の金属です。空気中で酸化しやすいという特徴があります。イットリウムとアルミニウムの酸化物は，虫歯や肌のしみのレーザー治療に使われています。また，白色発光ダイオードをつくる材料にもなります。

そのほか，イットリウムは，ブラウン管の赤色の蛍光体，より自然色に近く見える三波長蛍光灯，光学レンズ，セラミック，合金などに利用されています。

基礎データ

【陽子数】39　【価電子数】—
【原子量】88.90584
【融　点】1522
【沸　点】3338
【密　度】4.47
【存在度】［地球］30ppm
［宇宙］4.64
【存在場所】モナズ石，
バストネス石（カナダなど）
【価　格】198円（1gあたり）★
酸化イットリウム
【発見者】ガドリン（フィンランド）
モサンダー（スウェーデン）
【発見年】1794年，1843年

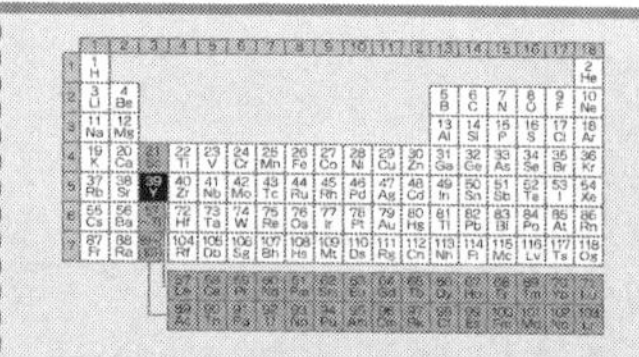

元素名の由来

スウェーデンの村
「イッテルビー（Ytterby）」。

発見時のエピソード

ガドリンが発見したイットリアという酸化物から，モサンダーが発見しました。

ジルコニウム
Zirconium

ジルコニウムは，耐熱性，耐食性にすぐれるため，幅広く利用されています。ジルコニウムを含む超強度セラミックスは，非常にかたく，包丁やはさみなどに使われています。

ジルコニウムは，水と反応して酸化ジルコニウムになりやすい性質があります。福島第一原子力発電所の水素爆発は，燃料棒をおおっていたジルコニウムが水蒸気と反応して酸化ジルコニウムになり，大量に発生した水素が爆発したためにおきたと考えられています。

基礎データ

【陽子数】40　【価電子数】—
【原子量】91.224
【融　点】1852
【沸　点】4377
【密　度】6.506
【存在度】［地球］190ppm
［宇宙］11.4
【存在場所】ジルコン，バッデレイ石（アメリカなど）
【価　格】142円（1gあたり）■スポンジ
【発見者】クラプロート（ドイツ）
【発見年】1789年

元素名の由来

アラビア語の「宝石の金色，ジルコン（zargun）」。

発見時のエピソード

1789年，クラプロートがセイロン（現在のスリランカ）でとれた鉱物から，新しい酸化物を発見しました。1924年，ベルセーリウスがこの酸化物を金属カリウムで還元して，ジルコニウム金属を得ました。

ニオブ
Niobium

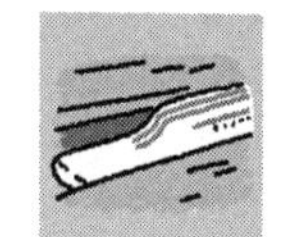

ニオブは，金属に加えて耐熱性や強度を高める添加剤としてよく使われています。

なかでもニオブとチタンの合金は，極低温下で超伝導体となり，加工もしやすいという特徴があります。そのため，リニアモーターカーやMRI（磁気共鳴画像装置）などの電磁石に使われています。ニオブとチタンの合金より高温で超伝導となる素材はあるものの，いずれももろいセラミックスで，加工がむずかしいという問題点があるのです。

基礎データ

【陽子数】41　【価電子数】—
【原子量】92.90637
【融　点】2468
【沸　点】4742
【密　度】8.57
【存在度】［地球］20ppm
［宇宙］0.698
【存在場所】コルンブ石
（ブラジル，カナダなど）
【価　格】452円（1gあたり）■
小片
【発見者】ハチェット（イギリス）
【発見年】1801年

元素名の由来

ギリシア神話の王Tantalusの娘Niobe。

発見時のエピソード

ハチェットが黒色鉱物の中に新元素を確認し，コロンビウムとよばれました。その後，1949年にドイツのローゼがコルンブ石とタンタル石から新元素を発見して，ニオブと名づけました。

モリブデン
Molybdenum

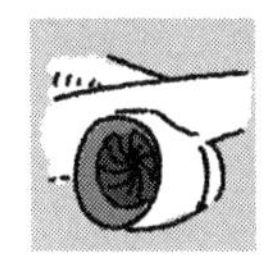

モリブデンのほとんどが，ステンレス鋼に添加されて利用されています。強度や耐食性が高められ，航空機やロケットのエンジンといった機械材料のほか，包丁など，刃物や工具にも使用されています。

マメ科植物の根に共生する根粒菌は，窒素をアンモニアにかえる酵素をもち，この酵素の中でモリブデンがはたらいています。モリブデンは，ヒトや植物にとって，必須の元素です。

基礎データ

【陽子数】42　【価電子数】—
【原子量】95.95
【融　点】2617
【沸　点】4612
【密　度】10.22
【存在度】［地球］1.5ppm
［宇宙］2.55
【存在場所】輝水鉛鉱（アメリカ，チリなど）
【価　格】300円（1gあたり）■
粉末
【発見者】シェーレ（スウェーデン）
イエルム（スウェーデン）（単体）
【発見年】1778年

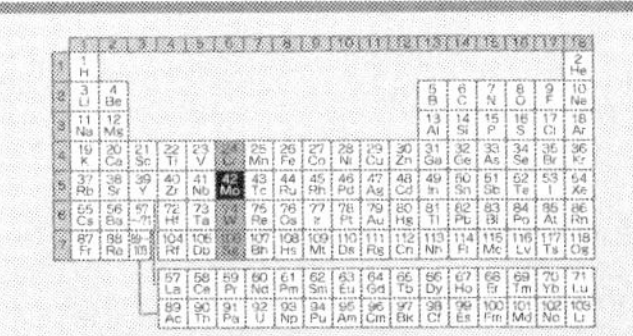

元素名の由来

ギリシア語の「鉛（molybdos）」。

発見時のエピソード

シェーレが輝水鉛鉱という鉱物から酸化モリブデンを得ました。その後，1781年にイエルムがモリブデン土を還元して，新元素を得ました。

テクネチウム
Technetium

テクネチウムは自然界に安定して存在しない，人工的につくられた最初の元素です。

テクネチウムは，すべて放射性同位体であり，がんの骨転移を調べる放射性診断薬に使われています。

1906年に日本人の小川正孝によって，この43番元素の発見の報告がなされ，「ニッポニウム」と名づけられました。しかし43番元素ではなく，当時未発見の75番元素（レニウム）だったため，認められませんでした。

基礎データ

【陽子数】43

【価電子数】—

【原子量】(97)

【融　点】2172

【沸　点】4877

【密　度】11.5(計算値)

【存在度】[地球] —

[宇宙] —

【存在場所】実質的に天然に存在していない。

【価　格】—

【発見者】ペリエ，セグレ
（ともにイタリア）

【発見年】1936年

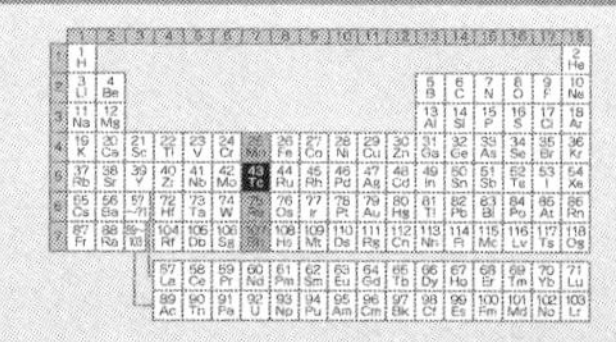

元素名の由来

ギリシア語の「人工(tekhnetos)」。

発見時のエピソード

テクネチウムは，サイクロトロンで加速した重陽子線を，モリブデンにぶつけることで得られた放射性元素です。はじめての人工元素。

金属（固体）　金属（液体）　非金属（固体）　非金属（液体）

ルテニウム
Ruthenium

ルテニウムの用途の一つに，パソコンなどのハードディスクがあります。ルテニウムの薄膜をハードディスクの表面にコーティングすることで，記憶容量をふやすことができるのです。そのほか，ルテニウムメッキが装飾品などに使われています。

また，2001年に日本の野依良治博士がノーベル賞を共同受賞した「キラル触媒による不斉水素化反応」の研究では，ルテニウムの化合物が触媒として用いられました。元素の周期表のほぼ真ん中に並ぶルテニウム，ロジウム，パラジウム，オスミウム，イリジウムと白金の6元素は，まとめて白金族元素とよばれることがあります。

基礎データ

【陽子数】44　【価電子数】—
【原子量】101.07
【融　点】2310
【沸　点】3900
【密　度】12.37
【存在度】[地球]0.001ppm
[宇宙]1.86
【存在場所】硫化鉱(カナダなど)
【価　格】1905円(1gあたり)
産業用相場 地金
【発見者】オサン(ドイツ)
【発見年】1828年

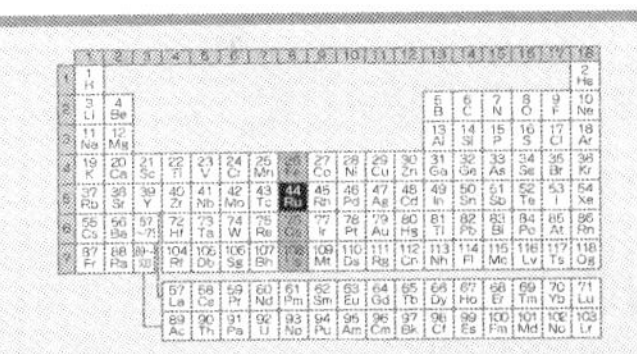

元素名の由来

オサンが分析した鉱物の産地のラテン語名「ロシア(Ruthenia)」。

発見時のエピソード

オサンが白金鉱という鉱物の中で発見しました。1845年にクラウスが元素を得ました。

ロジウム

Rhodium

 0.0002ppm

ロジウムの特徴は，かたく，耐食性・耐摩耗性にすぐれ，美しい光沢があることです。そのため，金属やガラスの装飾用メッキとして使用されています。たとえば，銀のアクセサリーの表面をロジウムでメッキ加工し，銀独特の変色や汚れを防いでいます。

産業用のロジウムは，白金や銅などを精錬する際の副産物として得られます。排気ガス中の窒素酸化物を分解する性質があるので，自動車のエンジンにも使われています。

基礎データ

【陽子数】45　【価電子数】—

【原子量】102.90550

【融　点】1966

【沸　点】3695

【密　度】12.41

【存在度】［地球］0.0002ppm
［宇宙］0.344

【存在場所】硫化鉱（カナダなど）

【価　格】2万4975円（1gあたり）
産業用相場 地金

【発見者】ウォラストン
（イギリス）

【発見年】1803年

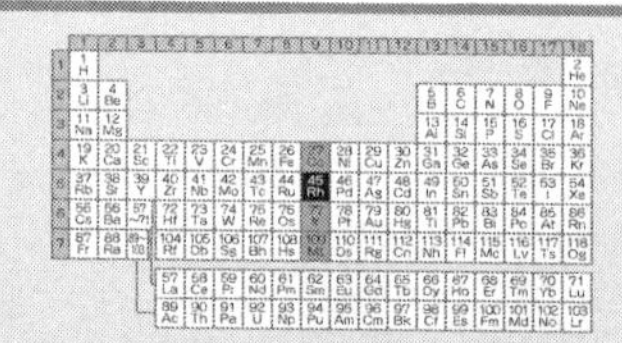

元素名の由来

ギリシア語の「バラ（rhodon）」。

発見時のエピソード

白金鉱という鉱物を王水（濃塩酸と濃硝酸の混合液）にとかし，白金やパラジウムを除いた溶液がバラ色であったことから，新元素が発見されました。

パラジウム

Palladium

パラジウムの合金は，気体をよく吸収するはたらきがあります。とくに水素は，パラジウム合金の体積の900倍以上も吸収することができます。そのため，水素の精製に利用されるほか，水素を用いた燃料電池といった将来の水素社会での活用も期待されています。

そのほか，ロジウムと同様に自動車の排気ガスに含まれる窒素酸化物を分解するのにも用いられています。また，虫歯治療の銀歯は金銀パラジウム合金です。

基礎データ

【陽子数】46　【価電子数】—
【原子量】106.42
【融　点】1552
【沸　点】3140
【密　度】12.02
【存在度】［地球］0.0006ppm
［宇宙］1.39
【存在場所】硫化鉱（カナダなど）
【価　格】5019円（1gあたり）
産業用相場 地金
【発見者】ウォラストン
（イギリス）
【発見年】1803年

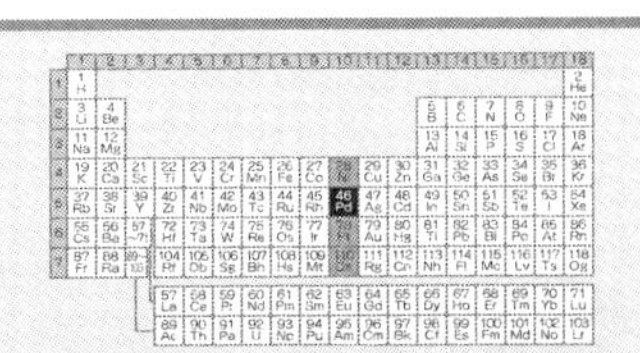

元素名の由来

小惑星Pallas。

発見時のエピソード

白金鉱という鉱物を王水（濃塩酸と濃硝酸の混合液）にとかし，ロジウムとともに発見しました。

銀
Silver

銀は，古くから銀貨や宝飾品，食器として利用されてきました。銀の器を使えば，毒物であるヒ素が混入していることを，すぐに知ることができます。銀は硫黄と反応すると，黒色の硫化銀となるためです。中世に毒物として使われたヒ素は，純度が低く，硫化物が含まれていたからです。

銀は，光の反射率が最も高い金属であるため，鏡の反射面に使われます。近年は，銀イオンの殺菌性，抗菌性が注目されています。銀イオンを含んだ水で衣類を洗濯すると，銀イオンが繊維をコーティングして，細菌の繁殖をおさえる効果があります。

基礎データ

【陽子数】47　【価電子数】—
【原子量】107.8682
【融　点】951.93
【沸　点】2212
【密　度】10.500
【存在度】［地球］0.07ppm
［宇宙］0.486
【存在場所】自然銀，輝銀鉱（カナダ，メキシコ，アメリカなど）
【価　格】119円（1gあたり）
産業用相場 地金
【発見者】—
【発見年】—

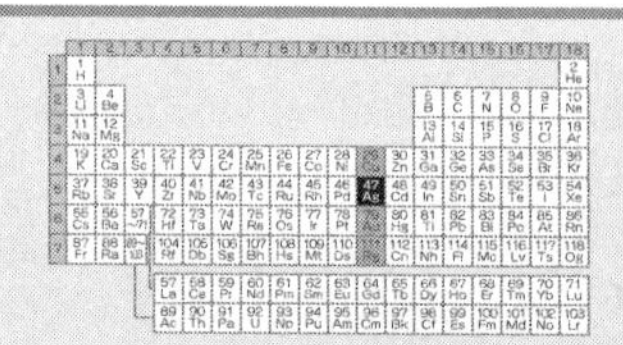

元素名の由来

アングロサクソン語の「銀（sioltur）」。元素記号Agは，ギリシア語の「輝く」や「明るい」を意味する「argyros」に由来すると考えられています。

発見時のエピソード

古くから知られていた元素の一つ。

金属（固体）　金属（液体）　非金属（固体）　非金属（液体）

カドミウム
Cadmium

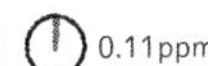

カドミウムの代表的な用途として，ニッカド電池があります。ニッカド電池とは，電極の正極にニッケルを，負極にカドミウムを使った電池です。寿命が長く，何千回もの充放電が可能という特徴があります。

また，空気中で安定していることからメッキとしても利用されています。絵の具やペンキなどで使われる鮮やかな黄色の「カドミウムイエロー」は，硫化カドミウムからつくられています。

基礎データ

【陽子数】48　【価電子数】—
【原子量】112.414
【融　点】321.0
【沸　点】765
【密　度】8.65
【存在度】[地球]0.11ppm
[宇宙]1.61
【存在場所】硫カドミウム鉱，亜鉛鉱石
(中国，オーストラリアなど)
【価　格】814円(1gあたり)■
小塊
【発見者】シュトロマイヤー
(ドイツ)
【発見年】1817年

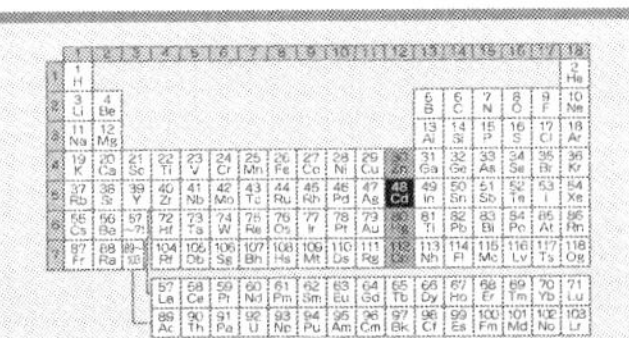

元素名の由来

ラテン語の「cadmia(カラミン(鉄の混ざった酸化亜鉛))」。フェニキアの神話の中の王子カドムスにちなんだという説もあります。

発見時のエピソード

炭酸亜鉛を焼いて黄色になる原因が，新元素であることを示しました。

非金属(気体)　地殻に含まれる割合　人工元素

インジウム
Indium

インジウムは，やわらかい銀白色の金属です。空気中では酸化膜の被膜におおわれて，安定に存在しています。主な用途として複数の元素からなる「化合物半導体」があります。

インジウムの化合物である酸化インジウムスズは，電気を通す性質をもちながら透明であるという特徴があります。そのため，スマートフォンやタブレット端末のタッチパネルに使われる透明電極の，欠かせない材料となっています。

基礎データ

【陽子数】49　【価電子数】3
【原子量】114.818
【融　点】156.6
【沸　点】2080
【密　度】7.31
【存在度】［地球］0.049ppm
［宇宙］0.184
【存在場所】インジウム銅鉱，インダイト（カナダ，中国など）
【価　格】3万1200円（1kgあたり）◆
塊 および粉末
【発見者】ライヒ，リヒター（ともにドイツ）
【発見年】1863年

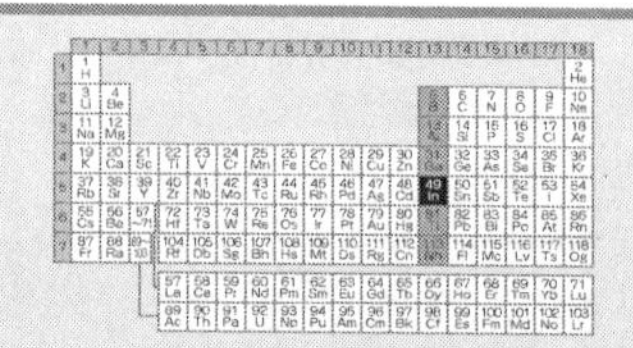

元素名の由来

輝線スペクトルの藍色（ラテン語で「Indicum」）。

発見時のエピソード

閃亜鉛鉱の発光スペクトルを測定したところ，藍色の線をみつけました。

スズ
Tin

「青銅器時代」というように，古くから使われている金属に青銅があります。この青銅は，スズと銅の合金で，ブロンズともいいます。加工がしやすく，独特の色合いや音響が好まれるため，現在でも美術品や寺院の釣り鐘などに使用されています。

スズを薄い鉄板にメッキしたものが「ブリキ」です。耐食性が高いスズは鉄を保護する役割があります。ブリキは缶詰の缶や，昔ながらのおもちゃに使用されています。

また，スズと鉛の合金は「はんだ」としてコンデンサやトランジスタなどの回路の組み立てに使用されています。

基礎データ

【陽子数】50　【価電子数】4
【原子量】118.710
【融　点】231.97
【沸　点】2270
【密　度】5.75（α）
【存在度】［地球］2.2ppm
［宇宙］3.82
【存在場所】スズ石
（中国，ブラジルなど）
【価　格】4551円（1kgあたり）◆
塊
【発見者】—
【発見年】—

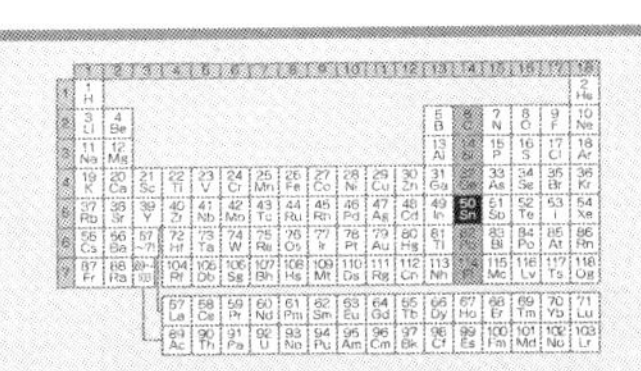

元素名の由来

ラテン語の「stannum（鉛と銀の合金を指していた）」。

発見時のエピソード

銅との合金，青銅として，紀元前3000年ごろから知られていました。

アンチモン

Antimony

0.2ppm

アンチモンは，天然に化合物の硫化アンチモン（輝安鉱）として存在し，古くから使われてきました。紀元前2300年ごろのエジプト王朝の墓から見つかっており，かのクレオパトラも輝安鉱の粉をアイシャドウとして使っていたといわれています。

また，三酸化アンチモンも広く活用されています。これはプラスチックやゴム製品，繊維などを燃えにくくする性質があり，難燃性のカーテンや建築材料に使われています。

基礎データ

【陽子数】51　【価電子数】5
【原子量】121.760
【融　点】630.63
【沸　点】1635
【密　度】6.691
【存在度】［地球］0.2ppm
［宇宙］0.309
【存在場所】輝安鉱
（中国，ロシア，ボリビアなど）
【価　格】1650円（1kgあたり）◆
塊 および粉末
【発見者】—
【発見年】—

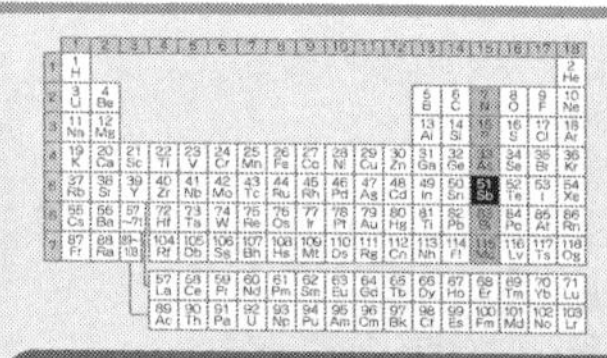

元素名の由来

ギリシア語の「孤独をきらう（アンチモノス）」。アイシャドウは，当時「stibi」や「stimmi」とよばれていたため，これが元素記号のSbになったと考えられています。

発見時のエピソード

古くから知られていた元素の一つ。

テルル
Tellurium

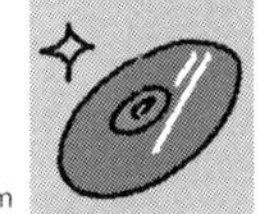

テルルには，光があたると電気を伝えやすくなるという性質があります。このことを利用して，書き換え可能なDVDなどの記録膜や，コピー機のドラムに使用されています。また，ガラスを赤紫色にしたり，陶磁器を赤や黄色にしたりする着色剤として用いられます。

人体にとっては有毒であることが確認されています。体内に取りこまれると，代謝によって悪臭の元になる物質が生成され，呼気がにんにく臭を帯びるといいます。

基礎データ

【陽子数】52　【価電子数】6
【原子量】127.60
【融　点】449.5
【沸　点】990
【密　度】6.24
【存在度】［地球］0.005ppm
［宇宙］4.81
【存在場所】シルバニア鉱，カラベラス鉱（アメリカなど）
【価　格】660円（1gあたり）■小片
【発見者】ミュラー・フォン・ライヘンシュタイン（オーストリア）
【発見年】1782年

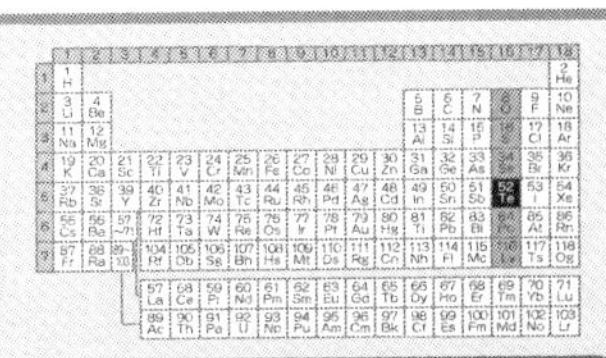

元素名の由来

ラテン語の「地球（tellus）」。

発見時のエピソード

ミュラー・フォン・ライヘンシュタインが金の鉱石中に発見し，クラプロート（ドイツ）が単体の金属として取りだして，テルルと名づけました。

ヨウ素
Iodine

0.14ppm

ヨウ素は黒紫色の固体で，水に溶けにくいですが，エタノールやクロロホルムなどの有機溶媒によく溶けて，紫色や茶褐色を示します。

ヨウ素の特徴は，殺菌作用です。消毒薬のヨードチンキや，うがい薬のルゴール液の材料として使われています。

また，ヨウ素は人体にとって必須ミネラルの一つです。ヨウ素は食物から体内に入り，甲状腺に取りこまれたあと，さまざまな化学反応を経て甲状腺ホルモンになります。ヨウ素の不足は，甲状腺ホルモンの不足につながり，エネルギー代謝や運動機能の障害が生じることになります。

基礎データ

【陽子数】53　【価電子数】7
【原子量】126.90447
【融　点】113.5
【沸　点】184.3
【密　度】4.93
【存在度】［地球］0.14ppm
［宇宙］0.90
【存在場所】海水，海藻
（日本，チリ，アメリカなど）
【価　格】—
【発見者】クールトア（フランス）
【発見年】1811年

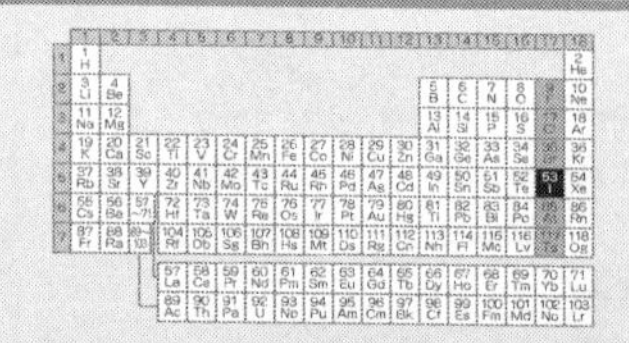

元素名の由来

ギリシア語の「紫色(ioeides)」。

発見時のエピソード

海藻の灰の溶液を硫酸で処理すると，暗赤色の結晶が得られました。

金属（固体）　金属（液体）　非金属（固体）　非金属（液体）

キセノン

Xenon

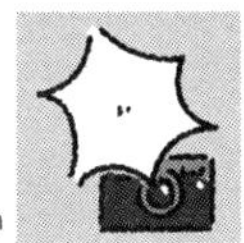

キセノンは空気中に0.087ppmしかなく，年間の生産量も40トンほどで，貴重な貴ガスです。

キセノンの用途の一つにキセノンランプがあります。ネオンと同様に管の中をキセノンガスで満たした照明です。色が太陽光に近く，反応性が速いことからカメラのフラッシュに使われています。

また，キセノンは，イオンエンジンの推進剤として用いられています。イオンエンジンはキセノンを高速で噴射し，その反動により推力を得るもので，小惑星探査機「はやぶさ2」に搭載されています。

基礎データ

【陽子数】54　【価電子数】0

【原子量】131.293

【融　点】-111.9

【沸　点】-107.1

【密　度】0.0058971

【存在度】［地球］0.000002ppm
［宇宙］4.7

【存在場所】空気中に微量

【価　格】—

【発見者】ラムゼー（スコットランド）
トラバース（イギリス）

【発見年】1898年

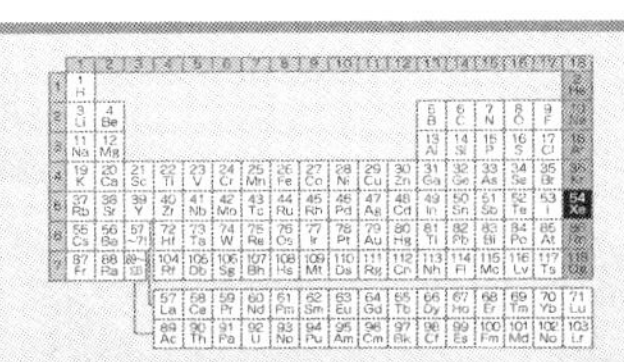

元素名の由来

ギリシア語の「見慣れない（xenos）」。

発見時のエピソード

大量のクリプトンから分離して発見されました。ラムゼーは，ラドンとオガネソンを除いた貴ガス元素のうち，ヘリウム，ネオン，アルゴン，クリプトンとキセノンの5元素を発見しました。

非金属（気体）　地殻に含まれる割合　人工元素

離婚後，即再婚

1877年
メンデレーエフ（43歳）
すでに結婚していたが
美しい…
画学生のアンナ（17歳）
に熱をあげる
1882年
妻と離婚。しかし
宗教上の決まりで
7年間は結婚できない
じゃら…
これで
何とか
してくれ
そこで彼は司祭に
大金を支払い……
離婚から
わずか2カ月で
結婚式を挙げた
司祭は
破門となったが
十分な報酬を
手にした

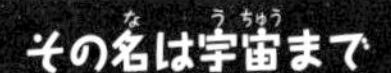
その名は宇宙まで

1955年101番元素が発見されると
Md
101
メンデレーエフの功績をたたえて、メンデレビウムと名づけられた

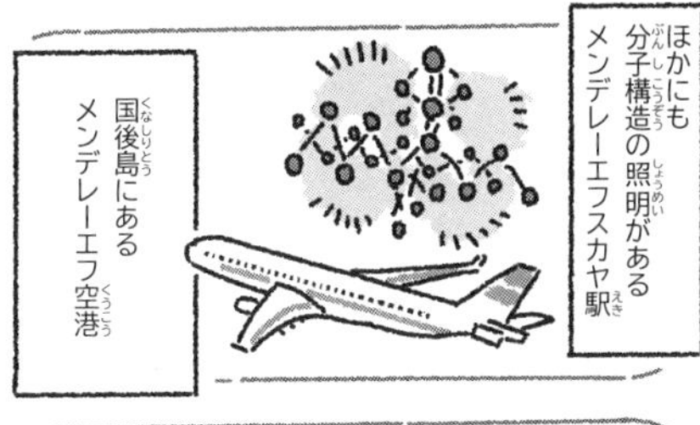
ほかにも分子構造の照明があるメンデレーエフスカヤ駅
国後島にあるメンデレーエフ空港

ロシアのタタールスタン共和国にはメンデレーエフスクという町があり……

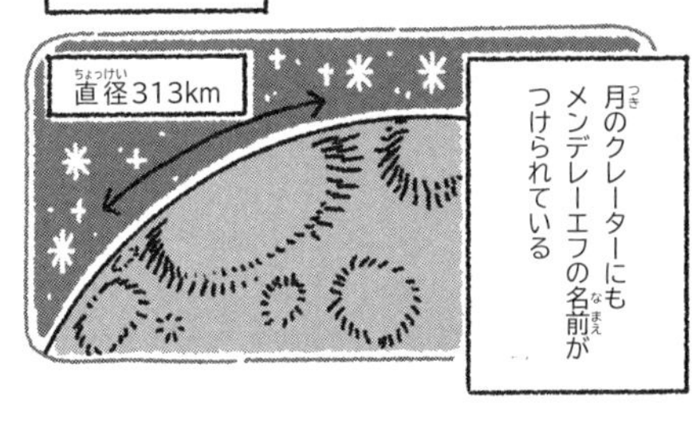
月のクレーターにもメンデレーエフの名前がつけられている
直径313km

セシウム
Caesium

セシウムはアルカリ金属に属する金属元素で，銀白色でやわらかいという特徴があります。常温で大気中で酸化され，水とはげしく反応します。

同位体のセシウム133は，時間の長さの基準に用いられています。セシウム133の電子状態が変化するときに放出される光を基準にして1秒の長さが決められているのです。

福島第一原子力発電所の事故で排出されたのは，放射性同位体のセシウム137です。

基礎データ

【陽子数】55　【価電子数】1
【原子量】132.90545
【融　点】28.4
【沸　点】678
【密　度】1.873
【存在度】[地球]3ppm
[宇宙]0.372
【存在場所】ポルクス石，リチア雲母（カナダなど）
【価　格】7万1400円（1gあたり）★
【発見者】ブンゼン，キルヒホフ（ともにドイツ）
【発見年】1860年

元素名の由来

ラテン語の「青い空（caesius）」。

発見時のエピソード

ドイツのドゥルクハイム鉱泉の大量の水を濃縮し，リチウムなどを取り除いた後，分光分析し，発見しました。

金属（固体）　金属（液体）　非金属（固体）　非金属（液体）

バリウム
Barium

500ppm

バリウムというと，健康診断で胃や腸のレントゲン写真を撮る際に飲む液体を思い浮かべる人が多いのではないでしょうか。この液体は，正確には硫酸バリウムです。通常，胃や腸はX線を透過してしまうため，レントゲン写真に写りません。そこで，バリウムのX線を通しにくい性質を利用して，胃や腸の状態を確認できるようにしているのです。

また，バリウムは炎色反応で緑色を示すため，花火などに用いられています。

基礎データ

【陽子数】56　【価電子数】2
【原子量】137.327
【融　点】729
【沸　点】1637
【密　度】3.594
【存在度】［地球］500ppm
［宇宙］4.49
【存在場所】重晶石，毒重石
（中国，インド，アメリカなど）
【価　格】3456円（1gあたり）★
酸化バリウム
【発見者】デービー（イギリス）
【発見年】1808年

元素名の由来

ギリシア語の「重い（barys）」。

発見時のエピソード

バリウムを含む鉱物は17世紀から知られていました。デービーはバリウムと水銀の複合体（アマルガム）を得ましたが，純粋な金属バリウムは1855年にブンゼンが電気分解法を用いて得ました。

ランタン

Lanthanum

ランタンからルテチウム（Lu）までの15元素はランタノイドとよばれ，ランタンは，その先頭に位置する元素です。

ランタンの用途はさまざまです。身近なところでは，衝撃で発火する性質を利用して，使い捨てライターの石に利用されています。そのほか，蛍光体やレーザー，セラミックス，永久磁石，電子顕微鏡の電子線源，光学レンズなどに使われています。

ランタンとニッケルの合金には，水素吸蔵能力があります。この特性を利用し，燃料電池の燃料となる水素を安全に貯蔵する容器として期待されています。

基礎データ

【陽子数】57　【価電子数】—
【原子量】138.90547
【融　点】921
【沸　点】3457
【密　度】6.145
【存在度】［地球］32ppm
［宇宙］0.4460
【存在場所】モナズ石，バストネス石（カナダ，中国など）
【価　格】110円（1gあたり）★
酸化ランタン
【発見者】モサンダー（スウェーデン）
【発見年】1839年

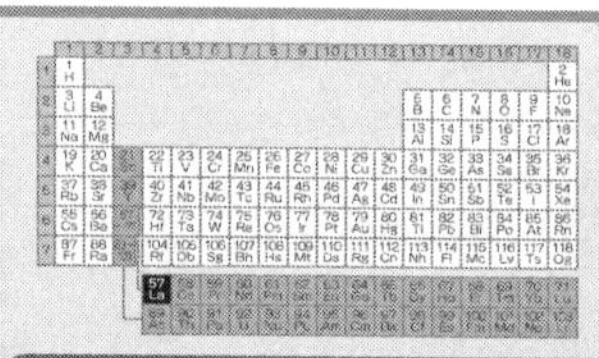

元素名の由来

ギリシア語の「かくれる（lanthanein）」。

発見時のエピソード

セリアという酸化物から，ランタンの酸化物を分離しました。モサンダーが得たランタンから，のちにプラセオジム（Pr），ネオジム（Nd），サマリウム（Sm）とユウロピウム（Eu）が発見されました。

金属（固体）　金属（液体）　非金属（固体）　非金属（液体）

セリウム
Cerium

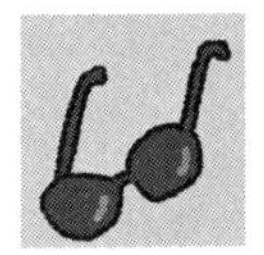

セリウムは，酸素と結びつきやすいため，酸化セリウムとしてよく利用されています。たとえば，酸化セリウムは紫外線吸収効果があるため，サングラスのレンズや自動車の窓ガラスに混ぜられます。また，ガラスの研磨剤としても使われます。

そのほか，酸化セリウムは，新しい色を出すための陶器のうわぐすりや，白色発光ダイオード，ブラウン管の青色蛍光体，るつぼなどに利用されています。

基礎データ

【陽子数】58　【価電子数】—
【原子量】140.116
【融　点】799
【沸　点】3426
【密　度】8.24（α）
【存在度】［地球］68ppm
［宇宙］1.136
【存在場所】モナズ石，バストネス石（カナダ，中国など）
【価　格】114円（1gあたり）★
酸化セリウム
【発見者】ベルセーリウス，ヒシンイエル（ともにスウェーデン）
【発見年】1803年

元素名の由来

1801年に発見された小惑星Ceres。

発見時のエピソード

スウェーデン産の鉱物のセル石（cerite）から取りだされた，酸化物のセリアから分離。

プラセオジム

Praseodymium

プラセオジムの酸化物は陶磁器を黄色や黄緑色に着色するうわぐすりに利用されています。プラセオジムは本来銀白色の金属ですが，常温の空気中では表面が酸化されて黄色になるのです。また，溶接作業用のゴーグルにも，プラセオジムの酸化物が使われています。

プラセオジムは，永久磁石にも用いられます。「プラセオジム磁石」は，物理的強度が高く，穴を空ける加工や，加熱したり曲げたりでき，さびにくいという特徴があります。

基礎データ

【陽子数】59　【価電子数】—
【原子量】140.90766
【融　点】931
【沸　点】3512
【密　度】6.773
【存在度】［地球］9.5ppm
［宇宙］0.1669
【存在場所】モナズ石，バストネス石（カナダ，中国など）
【価　格】366円（1gあたり）★
酸化プラセオジム
【発見者】ウェルスバッハ（オーストリア）
【発見年】1885年

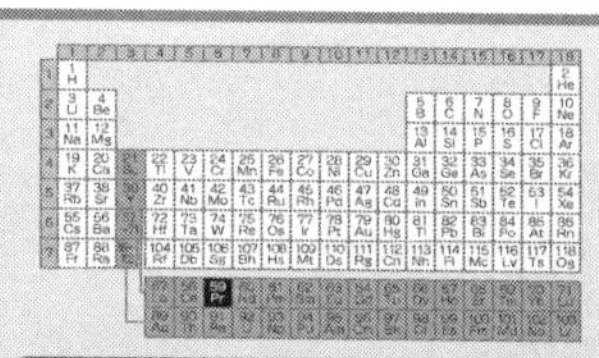

元素名の由来

ギリシア語の「ニラ（prasisos）」と「双子（didymos）」。

発見時のエピソード

酸化物のセリアから分離したジジミウムを2成分に分け，一方をプラセオジムと命名。

金属（固体）　金属（液体）　非金属（固体）　非金属（液体）

ネオジム

Neodymium

38ppm

ネオジムといえば，世界最強ともいわれる永久磁石の「ネオジム磁石」が知られています。ネオジムに鉄を入れると，鉄の磁気のみならず，ネオジムの磁気までが同じ方向に固定されます。このため，全体として大きな磁力を得ることができるのです。

ネオジム磁石は，スピーカーに内蔵されて，電気信号を振動にかえるはたらきを担っています。また，レーザーやセラミックコンデンサーなどにも利用されています。ネオジム磁石は，1982年に佐川眞人が発明した，日本が誇る科学技術の成果の一つです。

基礎データ

【陽子数】60　【価電子数】—

【原子量】144.242

【融　点】1021

【沸　点】3068

【密　度】7.007

【存在度】［地球］38ppm
［宇宙］0.8279

【存在場所】モナズ石，バストネス石（カナダ，中国など）

【価　格】4000円（1gあたり）■ 酸化物 粉末

【発見者】ウェルスバッハ（オーストリア）

【発見年】1885年

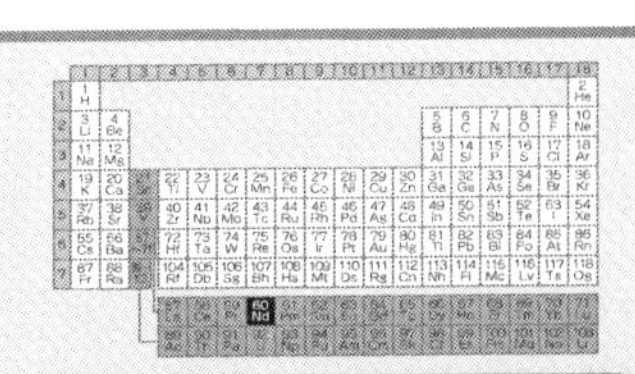

元素名の由来

ギリシア語の「新しい（neo）」と「双子（didymos）」。

発見時のエピソード

酸化物のセリアから分離したジジミウムを2成分に分け，一方をネオジムと命名。

プロメチウム

Promethium

プロメチウムの単体は銀白色の金属結晶で，すべて放射性同位体です。

プロメチウムは，放射線を電気エネルギーに変換する原子力電池の燃料として利用されています。原子力電池は長時間使用できることが特徴で，太陽光が弱い場所で活躍する宇宙探査機の電源などに利用されています。

そのほか，時計の蛍光板にも使用されていましたが，安全性の問題から現在は国内では生産されていません。

基礎データ

【陽子数】61　　【価電子数】—
【原子量】145
【融　点】1168
【沸　点】2700
【密　度】7.22
【存在度】［地球］—
［宇宙］—
【存在場所】—
【価　格】—
【発見者】マリンスキー，グレンデニン，コライエル（いずれもアメリカ）
【発見年】1947年

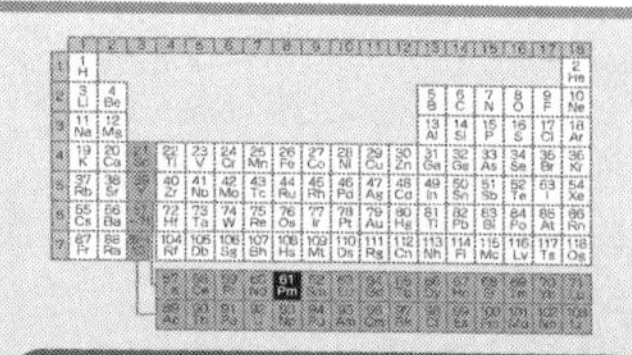

元素名の由来

ギリシア神話の神，「プロメテウス（prometheus）」。

発見時のエピソード

ウランの核分裂生成物から，陽イオン交換クロマトグラフィー法を用いて新元素を発見しました。

金属（固体）　金属（液体）　非金属（固体）　非金属（液体）

サマリウム
Samarium

7.9ppm

サマリウムは，主に永久磁石の「サマリウム-コバルト磁石」に使われています。高温下でも磁気性が衰えないという特徴があります。

ただし，サマリウム-コバルト磁石は高価なため，時計などの小型の用途が中心です。エレキギターの弦の振動を電気信号にかえるピックアップという部分にも使われることがあります。また，自動車エンジンの排気ガスに含まれる一酸化炭素を水素化する触媒などに利用されています。

基礎データ

【陽子数】62　【価電子数】―
【原子量】150.36
【融　点】1077
【沸　点】1791
【密　度】7.52
【存在度】［地球］7.9ppm
［宇宙］0.2582
【存在場所】モナズ石，バストネス石（カナダ，中国など）
【価　格】2188円（1gあたり）★ インゴット
【発見者】ボアボードラン（フランス）
【発見年】1879年

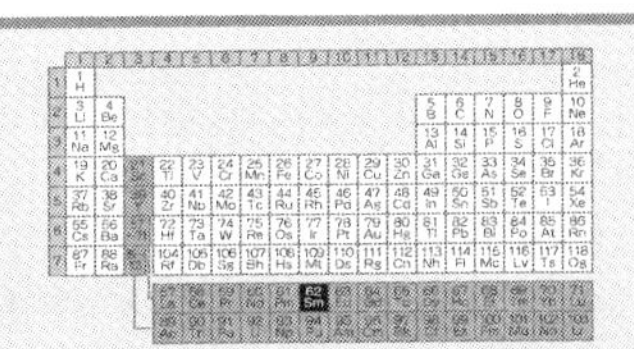

元素名の由来

ロシア，ウラル地方産出の「サマルスキー石（samarskite）」。

発見時のエピソード

鉱物のサマルスキー石から取りだされました。

ユウロピウム
Europium

 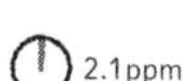

ユウロピウムは，ブラウン管の赤色の蛍光体として知られています。また，より自然色に近く見える蛍光灯の蛍光体などにも使用されています。

かわったところでは，EUの紙幣「ユーロ」にも，ユウロピウムが使われています。紫外線を当てると色とりどりに光る性質を生かして，偽造防止に役立てられています。あまり知られていませんが，実は日本の紙幣や年賀状葉書にも使われています。

基礎データ

【陽子数】63　【価電子数】—
【原子量】151.964
【融　点】822
【沸　点】1597
【密　度】5.243
【存在度】［地球］2.1ppm
［宇宙］0.0973
【存在場所】モナズ石，バストネス石
（カナダ，中国など）
【価　格】6万5000円（1gあたり）■
小片
【発見者】ドマルセ（フランス）
【発見年】1896年

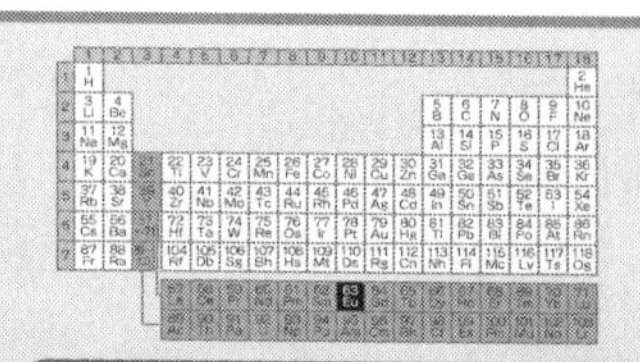

元素名の由来

「ヨーロッパ（Europe）」。

発見時のエピソード

サマリウムと考えられていた物質から，新たな吸収スペクトルをもつ元素を分離しました。

ガドリニウム
Gadolinium

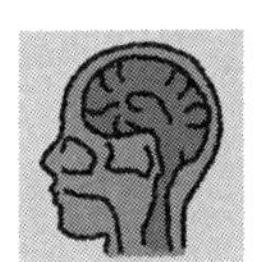

ガドリニウムは，常温でも高い磁性をもちます。このため，かつてはMOディスクなどの光磁気ディスクの記録層に使われていました。現在は，高い磁性を生かしてMRI（磁気共鳴画像装置）画像の濃淡を強調する造影剤として使用されています。血管内にガドリニウムの化合物を投与すると，画像が明瞭になるのです。

また，ガドリニウムには中性子を吸収する性質があり，原子炉の中性子を抑制する制御材料に使われています。

基礎データ

【陽子数】64　【価電子数】—
【原子量】157.25
【融　点】1313
【沸　点】3266
【密　度】7.9
【存在度】［地球］7.7ppm
［宇宙］0.3300
【存在場所】モナズ石，バストネス石（カナダ，中国など）
【価　格】2950円（1gあたり）★
酸化ガドリニウム
【発見者】マリニャク（スイス）
【発見年】1880年

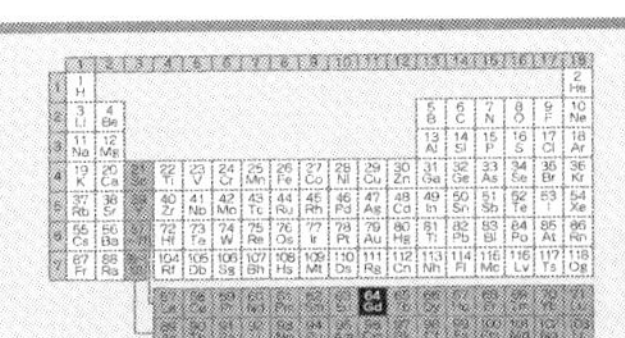

元素名の由来

希土類元素研究の開拓者「ガドリン（Gadolin）」。

発見時のエピソード

サマルスキー石から2種類の元素を分離。一方がサマリウム，もう一方がガドリニウム。

テルビウム

Terbium

  1.1ppm

テルビウムはテレビなどの緑色蛍光体や，光磁気の材料に使用されています。またX線撮影の感度を上げる増感剤として用いられています。

テルビウムをふくむ合金は，磁気ひずみの効果が大きいという特徴があります。「磁気ひずみ」とは，磁化の方向に伸びたり縮んだりすることです。この特性を利用しているものにパネルスピーカーや，電動アシスト自転車などがあります。

基礎データ

【陽子数】65　【価電子数】—
【原子量】158.92535
【融　点】1356
【沸　点】3123
【密　度】8.229
【存在度】[地球]1.1ppm
[宇宙]0.0603
【存在場所】モナズ石，バストネス石（カナダ，中国など）
【価　格】4万650円（1gあたり）★
インゴット
【発見者】モサンダー（スウェーデン）
【発見年】1843年

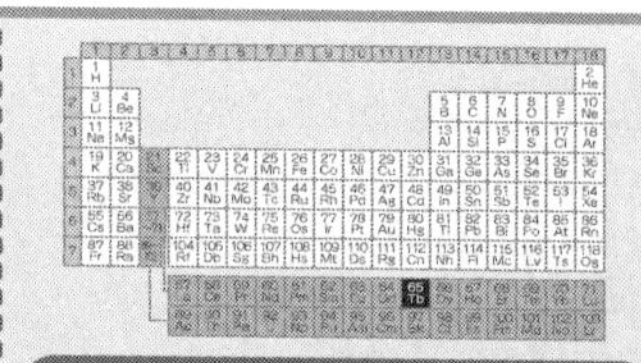

元素名の由来

スウェーデンの村
「イッテルビー（Ytterby）」。

発見時のエピソード

イットリアを三つの成分に分け，その中から新元素テルビウムを発見しました。

金属（固体）　金属（液体）　非金属（固体）　非金属（液体）

ジスプロシウム
Dysprosium

ジスプロシウムは，光のエネルギーをためて発光する性質があります。そのため，夜光塗料として，避難誘導標識やリモコンなどに用いられています。

また，ジスプロシウムはネオジム磁石に添加すると磁力を高める効果があります。磁力をもつものは，温度が上昇すると磁力が弱まるのですが，ジスプロシウムはそれを防いでくれます。ハイブリッド車のモーターなど，高温になる場所で活用されています。

基礎データ

【陽子数】66　【価電子数】—
【原子量】162.500
【融　点】1412
【沸　点】2562
【密　度】8.55
【存在度】［地球］6ppm
［宇宙］0.3942
【存在場所】モナズ石，バストネス石（カナダ，中国など）
【価　格】2924円（1gあたり）★
インゴット
【発見者】ボアボードラン（フランス）
【発見年】1886年

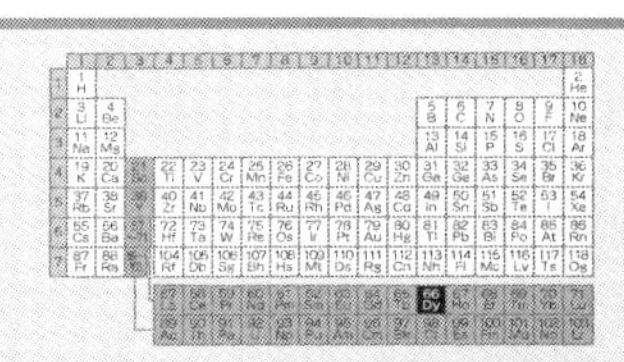

元素名の由来

ギリシア語の「得がたい（dysprositos）」。

発見時のエピソード

吸収スペクトルの測定によって，ホルミウムの化合物に別の元素が混じっていることがわかり，新元素として命名しました。

ホルミウム
Holmium

 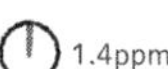

ホルミウムの主な用途としては，医療分野の「レーザー治療器」があります。ホルミウムに当てた光が反射し，レーザー発振器内で増幅されてレーザー光として放たれるという仕組みです。ほかのレーザーにくらべると，生じる熱が少なく，患部の損傷がおさえられるという点ですぐれています。

ホルミウムレーザーを使った治療には，尿管結石の破砕や肥大した前立腺腺腫の切除などがあります。

基礎データ

【陽子数】67　【価電子数】―
【原子量】164.93033
【融　点】1474
【沸　点】2695
【密　度】8.795
【存在度】［地球］1.4ppm
［宇宙］0.0889
【存在場所】モナズ石，バストネス石
（カナダ，中国など）
【価　格】1万3680円（1gあたり）★
インゴット
【発見者】クレーベ（スウェーデン）
【発見年】1879年

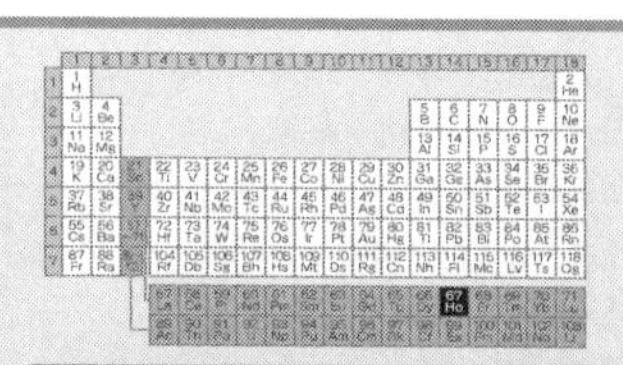

元素名の由来

ストックホルムの古名「Holmia」。

発見時のエピソード

酸化エルビウムに含まれていた二種の酸化物を分離しました。その一つを酸化ホルミウムと名づけました。

エルビウム
Erbium

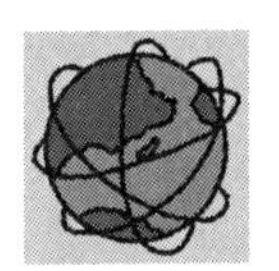

エルビウムは，光ファイバーネットワークに欠かせない元素です。光ファイバーの中を光が伝わるとき，距離が長くなると光が弱くなっていきます。そこで，光の増幅器が使われるのですが，この増幅器にエルビウムが用いられているのです。

ほかには，歯科や美容外科のレーザー治療でも活用されています。また，エルビウムは酸化するとピンク色になることから，サングラスや装飾用ガラスに使われています。

基礎データ

【陽子数】68　【価電子数】—
【原子量】167.259
【融　点】1529
【沸　点】2863
【密　度】9.066
【存在度】［地球］3.8ppm
［宇宙］0.2508
【存在場所】モナズ石，バストネス石
（カナダ，中国など）
【価　格】6750円（1gあたり）★
インゴット
【発見者】モサンダー
（スウェーデン）
【発見年】1843年

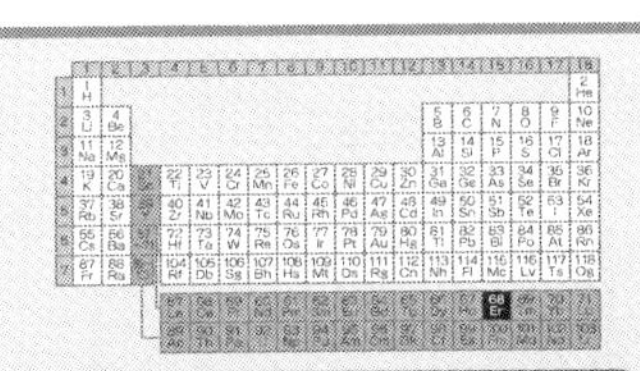

元素名の由来

スウェーデンの村
「イッテルビー（Ytterby）」。

発見時のエピソード

イットリアの中に含まれていたエルビウムを分離しました。

ツリウム
Thulium

 0.48ppm

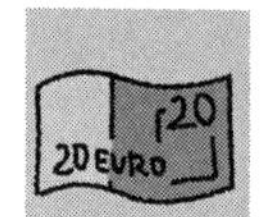

ツリウムの特徴的な用途として，放射線量計があります。放射線を受けたあとに加熱すると蛍光を発するというツリウムの性質が利用されています。

また，エルビウムと同様に光ファイバーの増幅器に使われています。エルビウムの増幅器では対応できない波長の光を補っています。

そのほか，ユウロピウムと同じように，ユーロ紙幣に紫外線を当てると光る仕組みに，ツリウムによる青色蛍光も使われています。

基礎データ

【陽子数】69　【価電子数】—
【原子量】168.93422
【融　点】1545
【沸　点】1950
【密　度】9.321
【存在度】［地球］0.48ppm
［宇宙］0.0378
【存在場所】モナズ石，バストネス石（カナダ，中国など）
【価　格】2万3000円（1gあたり）■インゴット
【発見者】クレーベ（スウェーデン）
【発見年】1879年

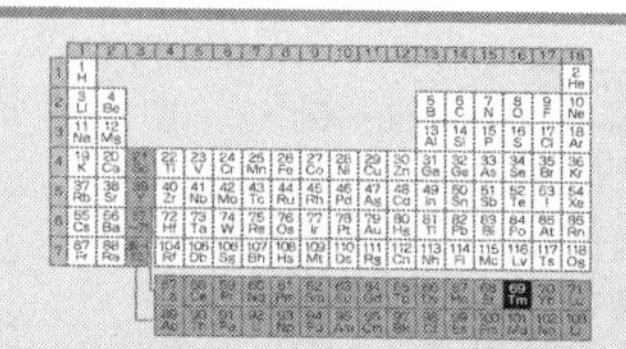

元素名の由来

スカンジナビアの旧名「ツール（Thule）」。

発見時のエピソード

純度の低いエルビウムからホルミウムとともに単離されました。

金属（固体）　金属（液体）　非金属（固体）　非金属（液体）

イッテルビウム

Ytterbium

イッテルビウムは，鉱物のガドリン石に含まれています。元素名はガドリン石を産出したスウェーデンの村イッテルビーが由来です。

イッテルビウムは，レーザーに利用されています。イッテルビウムレーザーは，金属板材やシリコンウエハーなどの切断に使われます。薄板を複雑な形状に切断できるなど，精密機械加工に向いているレーザーです。

そのほか，ガラスを黄緑色に着色するための色素，コンデンサーなどの用途があります。

基礎データ

【陽子数】70　【価電子数】—
【原子量】173.054
【融　点】824
【沸　点】1193
【密　度】6.965
【存在度】［地球］3.3ppm
［宇宙］0.2479
【存在場所】モナズ石，バストネス石（カナダ，中国など）
【価　格】3600円（1gあたり）■ 酸化物 粉末
【発見者】マリニャク（スイス）
【発見年】1878年

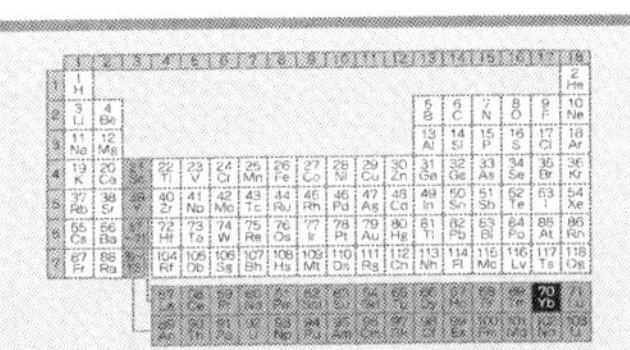

元素名の由来

スウェーデンの村「イッテルビー（Ytterby）」。

発見時のエピソード

純度の低いエルビウムから単離されました。

ルテチウム
Lutetium

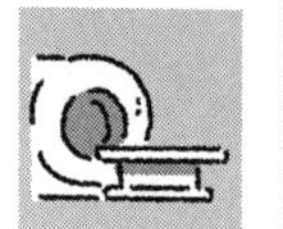

ルテチウムは，分離に手間がかかり，高価なこともあって工業的な利用はほとんどなされていません。医療の検査で用いられるPET（ポジトロン断層法）装置などに利用されています。

PET装置とは，CT（コンピューター断層撮影）やMRI（核磁気共鳴画像装置）のように体内の断層撮影を行う機械です。CTやMRIが体内の画像から異常を確認するのに対して，PETでは細胞の性質を調べることができます。

基礎データ

【陽子数】71　【価電子数】—
【原子量】174.967
【融　点】1663
【沸　点】3395
【密　度】9.84
【存在度】［地球］0.5ppm
［宇宙］0.0367
【存在場所】モナズ石，バストネス石（カナダ，中国など）
【価　格】2万7000円（1gあたり）■塊状ルテチウム
【発見者】ユルバン（フランス）
【発見年】1907年（単体分離）

元素名の由来

パリの古名「ルテシア（lutecia）」。

発見時のエピソード

複数の人物が，ほぼ同時に発見しました。最後に発見された，ランタノイド元素です。

金属（固体）　金属（液体）　非金属（固体）　非金属（液体）

ハフニウム
Hafnium

ハフニウムは，中性子を吸収しやすいという性質を生かして，原子炉で使われています。原子炉では，放射性元素が中性子をやり取りしているのですが，ハフニウムを使うことでそのやり取りを制御できるのです。

ハフニウムとニオブの合金は，温度変化を受けても劣化しない性質があります。そのため，温度変化の大きい環境下にある人工衛星や宇宙船の制御ロケットなどに利用されています。

基礎データ

【陽子数】72　【価電子数】—
【原子量】178.49
【融　点】2230
【沸　点】5197
【密　度】13.31（固体）
【存在度】［地球］5.3ppm
［宇宙］0.154
【存在場所】ジルコン，バッデレイ石（アメリカなど）
【価　格】4600円（1gあたり）★
【発見者】コスター（オランダ）
ヘベシー（ハンガリー）
【発見年】1924年

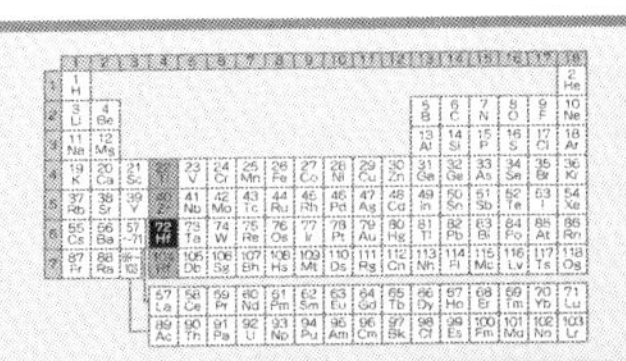

元素名の由来

コペンハーゲンのラテン名「ハフニア（Hafnia）」。

発見時のエピソード

ハフニウムとジルコニウムの性質がよく似ていることからジルコニウムとの分離がむずかしく，発見が遅れました。

タンタル
Tantalum

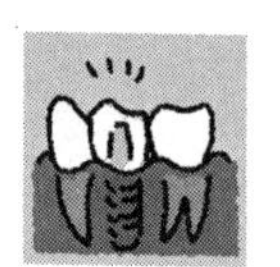

タンタルは，単体では光沢のある灰色金属で，見た目は白金に似ています。かたくて延性にすぐれていて加工しやすいことが特徴です。金属単体では3番目に融点が高く，きわめて強い耐酸性をほこります。

タンタルは，体に無害な金属であるため，人工骨や，歯のインプラント治療に用いられます。インプラント治療では，人工歯を「フィクスチャー」とよばれるタンタルやチタンを含んだネジであごに埋めこみます。

基礎データ

【陽子数】73　【価電子数】—
【原子量】180.94788
【融　点】2996
【沸　点】5425
【密　度】16.654
【存在度】［地球］2ppm
［宇宙］0.0207
【存在場所】コルンブ石，イットロタンタル石（オーストラリアなど）
【価　格】840円（1gあたり）■粉末
【発見者】エーケベリ（スウェーデン）
【発見年】1802年

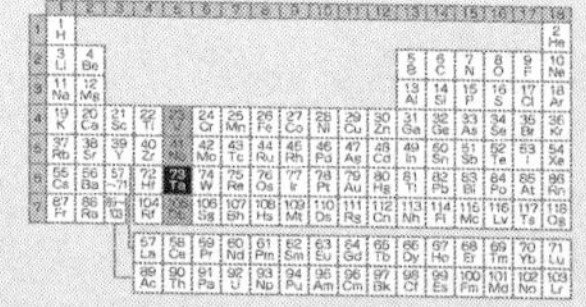

元素名の由来

ギリシア神話の「フリギア（Phrygia）」の王，「タンタロス（Tantalus）」。

発見時のエピソード

エーケベリが発見したものは，性質がよく似たニオブとの混合物でした。

金属（固体）　金属（液体）　非金属（固体）　非金属（液体）

タングステン
Tungsten

タングステンは，すべての金属のうちで最も融点が高く，また蒸気圧は低く，細い線に加工できます。この特徴を生かして，白熱電球のフィラメントなどに使われています。

また，タングステンは非常にかたく重い金属です。炭素とタングステンの化合物を含む超硬合金は，ダイヤモンドに次ぐかたさで，鉄の3倍，鉛の2倍近くの重さといいます。その特性を生かして，ドリルなどの切削工具材料として使用されています。

基礎データ

【陽子数】74　【価電子数】—

【原子量】183.84

【融　点】3410

【沸　点】5657

【密　度】19.3

【存在度】［地球］1ppm
［宇宙］0.133

【存在場所】鉄マンガン重石，灰重石
（中国，カナダ，ロシアなど）

【価　格】500円（1gあたり）■
粉末

【発見者】シェーレ（スウェーデン）

【発見年】1781年

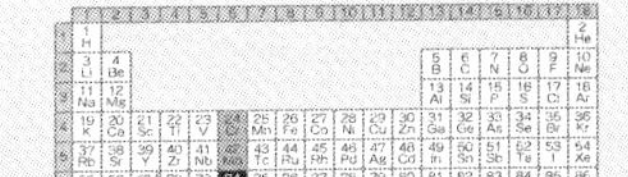

元素名の由来

スウェーデン語で「重い石（tungsten）」。

発見時のエピソード

現在では灰重石とよばれる鉱石から，新たな酸化物を分離しました。

レニウム
Rhenium

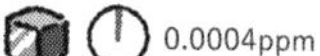

レニウムは，高い熱伝導度が特徴です。そのため，レニウム合金は，高温用温度センサーの先端部分に使用されています。また，過酷な環境に耐えられることから，航空宇宙産業でも活用されています。

レニウムは触媒としても利用されています。たとえば，ガソリンの生産工程で質を高めるために使われています。

レニウムは地殻中の存在量が非常に少なく，輝水鉱石中にわずかに存在します。

基礎データ

【陽子数】75　【価電子数】—

【原子量】186.207

【融　点】3180

【沸　点】5596

【密　度】21.02

【存在度】［地球］0.0004ppm

［宇宙］0.0517

【存在場所】輝水鉛鉱（チリ，アメリカなど）

【価　格】3万1800円（1gあたり）■ペレット

【発見者】ノダック，タッケ，ベルク（いずれもドイツ）

【発見年】1925年

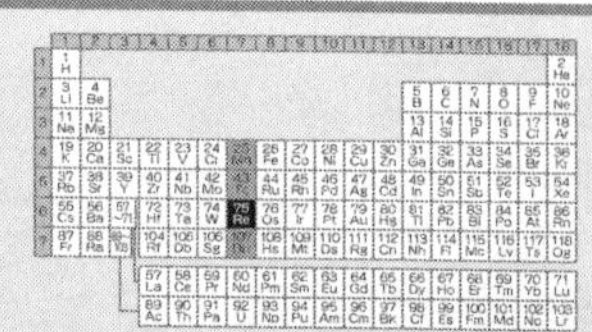

元素名の由来

「ライン（Rhein）川」。

発見時のエピソード

メンデレーエフが，ドビマンガンと予言した元素です。ケイ酸塩鉱物から分離されました。レニウムは天然で安定に存在する元素の中で，最後に発見された元素です。

オスミウム
Osmium

オスミウムは，自然界で最も比重が大きい物質です。野球のボールくらいの大きさで，約6キログラムの重さになります。

オスミウムは，イリジウムとの合金の状態で白金鉱から分離されます。この合金はきわめて頑丈で，一部の高級な万年筆の先端に使われています。500万字を書きつづけられるほどの強度があるといわれています。

また，酸化しやすく，四酸化オスミウムは強烈なにおいと強い毒性をもちます。

基礎データ

【陽子数】76　【価電子数】—
【原子量】190.23
【融　点】3054
【沸　点】5027
【密　度】22.59
【存在度】［地球］0.0004ppm
［宇宙］0.675
【存在場所】白金鉱（南アフリカ，カナダ，ロシアなど）
【価　格】4万9500円（1gあたり）■粉末
【発見者】テナント（イギリス）
【発見年】1803年

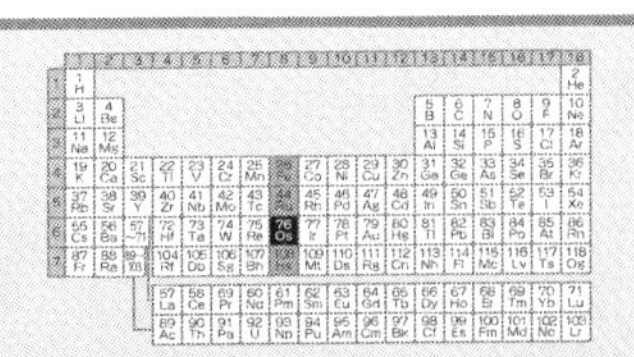

元素名の由来

ギリシア語の「くさい（osme）」。

発見時のエピソード

白金を含む鉱物を，濃塩酸と濃硝酸でとかしたときに生じる黒い残りかすから，イリジウムとともに発見しました。

イリジウム
Iridium

0.000003ppm

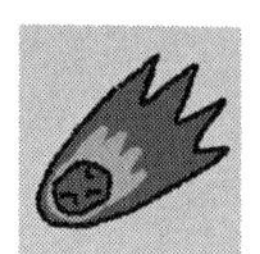

イリジウムは，地球上では非常に少ない金属です。イリジウム合金は非常にかたく，耐熱性にすぐれていることから，自動車の点火プラグに使われています。

恐竜が絶滅した約6550万年前の地層（K/Pg境界）から，イリジウムが発見されています。イリジウムは隕石の中に多く含まれていることから，恐竜の絶滅は宇宙から隕石が落下したためではないかと推測されています。イリジウムとオスミウムは天然では合金の状態で存在し，イリドスミンとよばれています。詩人・童話作家の宮沢賢治は，岩手県にイリドスミンが存在することを発見しました。

基礎データ

【陽子数】77　【価電子数】—
【原子量】192.217
【融　点】2410
【沸　点】4130
【密　度】22.56
【存在度】［地球］0.000003ppm
［宇宙］0.661
【存在場所】イリドスミン（オスミウムとの合金）（南アフリカ，アラスカ，カナダなど）
【価　格】2万4050円（1gあたり）産業用相場 地金
【発見者】テナント（イギリス）
【発見年】1803年

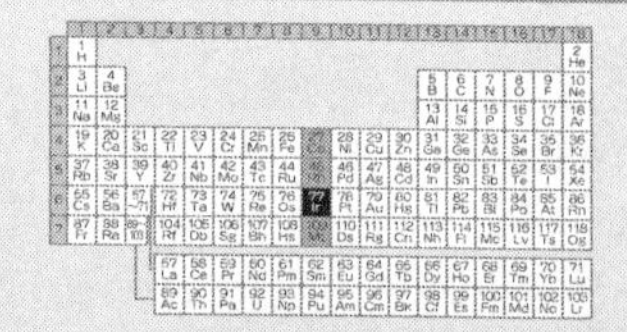

元素名の由来

ギリシア神話の虹の女神「イリス（Iris）」。

発見時のエピソード

白金を含む鉱物を，濃塩酸と濃硝酸で処理した後に生じた黒色ののこりかすの中から発見しました。

金属（固体）　金属（液体）　非金属（固体）　非金属（液体）

白金 Platinum

白金は天然では鉱石中から産出されます。美しい銀白色をもつため，装飾品として広く知られています。

産業利用では，触媒として石油精製や自動車の排ガスの浄化，燃料電池などに利用されています。また，白金は腐食しにくいため，イリジウムとの合金が，万年筆のペン先やフルートの材料に使われています。医療では，がんの治療薬に白金化合物であるシスプラチンが用いられています。

基礎データ

【陽子数】78　【価電子数】—
【原子量】195.084
【融　点】1772
【沸　点】3830
【密　度】21.45
【存在度】［地球］約0.001ppm
［宇宙］1.34
【存在場所】砂白金，クーパー鉱，スペリー鉱（南アフリカ，ロシア，アメリカなど）
【価　格】4424円（1gあたり）
産業用相場　地金
【発見者】—
【発見年】—

元素名の由来

スペイン語の「小さな銀（platina）」。

発見時のエピソード

古くから利用されていました。はじめて新元素だと認識したのは，デ・ウロア（スペイン）だといわれています。

非金属（気体）　地殻に含まれる割合　人工元素

金
Gold

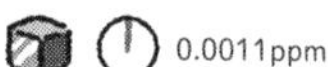

単体で自然に産出する金属の中で，いわゆる黄金色に輝く唯一の金属です。

金の歴史は古く，古代エジプトの王，ツタンカーメンの黄金のマスクが有名です。古くから金が使われてきたのは，加工のしやすさが要因です。薄くのばせば厚さ0.0001ミリメートル以下の金箔になり，細くのばせば1グラムの金で3000メートルの金線をつくることができます。また金は，抗リウマチ剤に含まれるなど，医療の分野でも重宝されています。

基礎データ

【陽子数】79　【価電子数】—
【原子量】196.966569
【融　点】1064.43
【沸　点】2807
【密　度】19.32
【存在度】［地球］0.0011ppm
［宇宙］0.187
【存在場所】自然金（南アフリカなど）
【価　格】1万394円（1gあたり）
産業用相場　地金
【発見者】—
【発見年】—

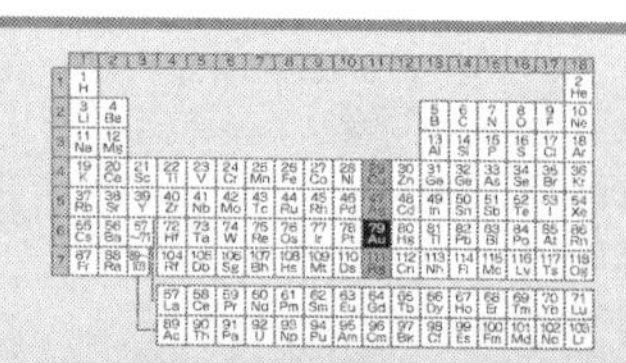

元素名の由来

元素記号Auは，ラテン語の「太陽の輝き（Aurum）」。英語名Goldは，インド・ヨーロッパ語の「黄金（geolo）」。

発見時のエピソード

古くから知られていた元素の一つ。

金属（固体）　金属（液体）　非金属（固体）　非金属（液体）

水銀
Mercury

0.05ppm

水銀は常温（15～25℃，日本薬局方）で唯一液体の金属元素です。身近なところでは，温度計や体温計，蛍光灯などに利用されていました。また，水銀化合物は消毒薬などに用いられてきました。しかし，水銀化合物は一般に毒性が強いため，今ではほとんど使用されていません。

1950年代に熊本県水俣などで発生した公害病である水俣病は，メチル水銀による環境汚染が引きおこした中毒性神経疾患です。

基礎データ

【陽子数】80　【価電子数】—
【原子量】200.592
【融　点】-38.87
【沸　点】356.58
【密　度】13.546
【存在度】［地球］0.05ppm
［宇宙］0.34
【存在場所】自然水銀，辰砂など
（スペイン，ロシアなど）
【価　格】21円（1gあたり）★
【発見者】—
【発見年】—

元素名の由来

ローマ神話の商売の神「メルクリウス（mercurius）」。元素記号のHgは「水のような銀」を意味するラテン語「hydrargyrum」（hydro（水）とargyrum（銀）の合成語）に由来しています。

発見時のエピソード

古くから知られていた元素の一つ。

タリウム
Thallium

タリウムは，常温では銀白色のやわらかい金属です。見た目と性質が鉛とよく似ています。タリウムは一般に毒性が高く，かつてはネズミや虫の駆除に使用されていましたが，現在では使われていません。ちなみに，アガサ・クリスティーの『蒼ざめた馬』は，タリウム中毒を主題とする小説です。

タリウムの放射性同位体は，心筋血流の検査に使用されるなど，医療の分野で活用されています。また，タリウムと水銀の合金は，水銀よりも融点が低くなるため，極地用の温度計に使われています。

基礎データ

【陽子数】81　【価電子数】3
【原子量】204.382 ～ 204.385
【融　点】304
【沸　点】1457
【密　度】11.85
【存在度】［地球］0.6ppm
［宇宙］0.184
【存在場所】クルックス鉱，ローランド鉱など（アメリカなど）
【価　格】2236円（1gあたり）★
顆粒
【発見者】クルックス（イギリス）
ラミー（フランス）
【発見年】1861年

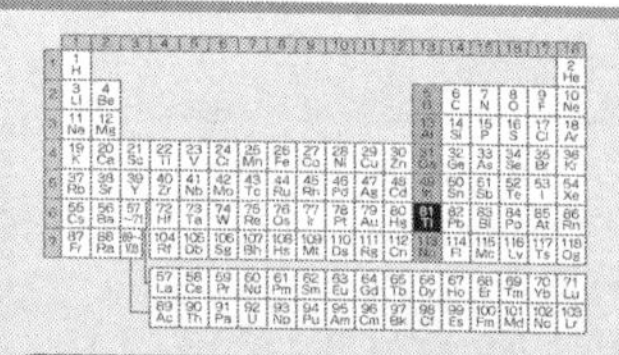

元素名の由来

ギリシア語の「緑の小枝（thallos）」。

発見時のエピソード

クルックスとラミーが同時に発見。それぞれの祖国が「発見者」をめぐって争いました。

鉛
Lead

鉛や鉛の化合物は，古くからエジプトや中国，インド，ローマなどで顔料や医薬品として使用されてきました。鉛は融点が低くやわらかいので加工がしやすいのです。「鉛色」とよばれる黒ずんだ色は，空気中で酸化したもので，元々は光沢のある白色です。

産業利用では，鉛を電極に用いた鉛蓄電池が自動車のバッテリーに使われています。また，二酸化ケイ素と酸化鉛からなる鉛ガラスは，放射線遮蔽物として使用されています。

基礎データ

【陽子数】82　【価電子数】4
【原子量】207.2
【融　点】327.5
【沸　点】1740
【密　度】11.35
【存在度】［地球］14ppm
［宇宙］3.15
【存在場所】方鉛鉱，白鉛鉱など
（オーストラリア，中国など）
【価　格】341円（1kgあたり）◆
鉛地金
【発見者】―
【発見年】―

元素名の由来

元素記号Pbは，ラテン語の「鉛（plumbum）」。

発見時のエピソード

古くから知られていた金属の一つ。

ビスマス
Bismuth

 0.048ppm

ビスマスの用途に「超伝導ケーブル」があります。ビスマス，鉛，ストロンチウム，カルシウム，銅，酸素の化合物が使われています。このケーブルでは電気抵抗がゼロとなり，送電ロスもゼロとなる利点があります。ビスマス，ストロンチウム，カルシウム，銅と酸素からなる高温超電導材料Bi2223は，リニア新幹線の製造過程で使用が検討されています。

そのほか，ビスマスは火災用スプリンクラーの口金や，胃潰瘍や十二指腸潰瘍などの治療薬にも用いられています。

基礎データ

【陽子数】83　【価電子数】5
【原子量】208.98040
【融　点】271.3
【沸　点】1610
【密　度】9.747
【存在度】[地球]0.048ppm
[宇宙]0.144
【存在場所】輝蒼鉛鉱，ビスマイトなど
(中国，オーストラリアなど)
【価　格】1000円(1gあたり)■
小片
【発見者】ジョフロア(フランス)
【発見年】1753年

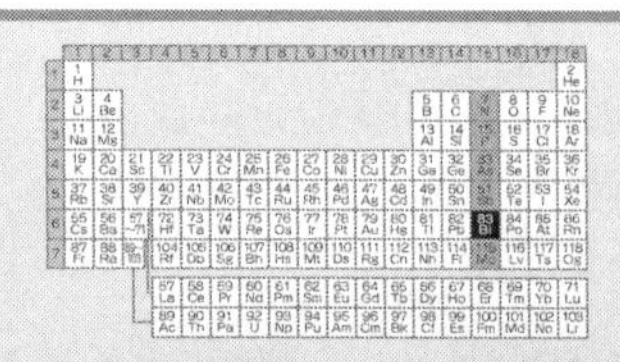

元素名の由来

ラテン語の「とける(bisemutum)」。

発見時のエピソード

長い間鉛やスズ，アンチモンなどと混同されていましたが，18世紀になって単体の金属であることがわかりました。

ポロニウム
Polonium

伝記に描かれる「キュリー夫人」で知られるマリー・キュリーとピエール・キュリーの夫妻が発見した元素です。ウラン鉱石からウランを取り除いたあとも鉱石に放射能が残っていることに気づき，実験を重ねて分離に成功しました。

放射性物質であるポロニウムが発する熱を電力に変換して，原子力電池として利用されます。また，繊維から静電気を除去するポロニウムブラシとしても使われます。

基礎データ

【陽子数】84　【価電子数】6

【原子量】209

【融　点】254

【沸　点】962

【密　度】9.32

【存在度】［地球］—
［宇宙］—

【存在場所】ウラン鉱石（ピッチブレンド）（カナダ，オーストラリアなど）

【価　格】—

【発見者】キュリー夫妻（フランス）

【発見年】1898年

元素名の由来

キュリー夫人の祖国ポーランド（Poland）。

発見時のエピソード

ウラン鉱石から化学的に強い放射性をもつ物質を取りだす実験で単離されました。

アスタチン
Astatine

アスタチンの産業利用はなく，研究利用にとどまっています。なかでも期待されているのが，がん治療への活用です。

アスタチン211は，細胞を破壊する高エネルギーをもつアルファ線を放出します。このアルファ線をがん細胞に直接照射して，がんを治療しようという考えです。しかし，そのためにはアスタチンをがん細胞まで運ぶ「運び屋」が必要になります。現在は，この運び屋の研究が進められているところです。

基礎データ

【陽子数】85　【価電子数】7
【原子量】(209)
【融　点】302
【沸　点】—
【密　度】—
【存在度】［地球］—
［宇宙］—
【存在場所】人工元素
【価　格】—
【発見者】コーソン，マッケンジー
（ともにアメリカ）
セグレ（イタリア）
【発見年】1940年

元素名の由来

ギリシア語の「不安定な（astatos）」。

発見時のエピソード

サイクロトロンで加速したアルファ線をビスマスにぶつけ，新しい放射線元素を得ました。

金属（固体）　金属（液体）　非金属（固体）　非金属（液体）

ラドン
Radon

ラドンは貴ガスに属する無色の気体です。安定同位体は存在せず，すべて放射性同位体で，強い放射能をもっています。

かつては，非破壊検査やがん治療にラドンが使われていました。しかし，取り扱いがむずかしいことから，現在ではほかの放射性物質に置きかえられています。

また，温泉にラドンを含む「ラドン温泉」が知られています。その医学的な効能については，科学的に明らかにされていません。

基礎データ

【陽子数】86　【価電子数】0
【原子量】(222)
【融　点】-71
【沸　点】-61.8
【密　度】0.00973
【存在度】［地球］—
　　　　　［宇宙］—
【存在場所】ラジウムの崩壊によって発生
【価　格】—
【発見者】ドルン（ドイツ）
【発見年】1900年

元素名の由来

ラジウム（Radium）。

発見時のエピソード

キュリー夫妻が，ラジウムと接触した空気が放射性をもつことを発見。のちにドルンが，この放射性の正体はラジウムが崩壊して発生するラドンであることを発見しました。

非金属（気体）　地殻に含まれる割合　人工元素

元素の価格ランキング

元素の中で，いちばん価格の高いものは，どれなのでしょうか。第3章で価格を紹介している元素を，「気体部門」と「固体・液体部門」にわけて，価格の高い順に並べてみました。

気体部門では，価格を紹介している元素は，5種類しかありませんでした。その中でいちばん価格が高かったのは，ヘリウム(He)です。**ヘリウムは，医療用の「核磁気共鳴画像診断装置(MRI)」や，「超電導装置」，製造現場など，さまざまな場所で使われています。** ヘリウムは，宇宙の中で2番目に数が多い元素です。しかし地上では希少です。近年，需要に供給が追いつかず，ヘリウムの価格は高騰しています。

固体・液体部門で上位を占めたのは，「希少元素(レアメタル)」とよばれる元素です。希少元素とは，天然に存在量が少なかったり，品質のいいものが手に入りにくかったりする元素です。**1位のセシウム(Cs)から5位のテルビウム(Tb)までの元素は，すべて希少元素です。**

元素の価格ランキング 「気体部門」

順位	元素名(元素記号)	価格(1立方mあたり)	状態	出典
1	ヘリウム(He)	5850円	気体	♣
2	アルゴン(Ar)	1200円	気体	♣
3	水素(H)	520円	気体	♣
4	酸素(O)	400円	気体	♣
5	窒素(N)	80円	気体	♣

元素の価格ランキング 「固体・液体部門」

順位	元素名(元素記号)	価格(1gあたり)	状態	出典
1	セシウム(Cs)	7万1400円		★
2	ユウロピウム(Eu)	6万5000円	小片	■
3	ルビジウム(Rb)	5万2500円	小片	■
4	オスミウム(Os)	4万9500円	粉末	■
5	テルビウム(Tb)	4万650円	インゴット	★

〈価格の出典〉
♣…『物価資料』(2024年4月号)
■…（株）ニラコ 純金属価格表
★…富士フイルム和光純薬工業 Siyaku.com　1ドル＝150円としました。

フランシウム

Francium

フランシウムは，自然界で最後に見つかった元素です。存在量が少なく，あまり用途はありません。化学的性質もほとんどわかっていません。

周期表で，最も質量の大きいアルカリ金属として，古くから存在は予言されていました。何度か報告があったものの，いずれも誤りで，予言から70年近くがたって発見に至りました。

発見者のマルグリッド・ペレー（1909～1975）は，マリー・キュリーの助手を務め，自然界から見つかった最後の元素を発見しました。

基礎データ

【陽子数】87　【価電子数】1
【原子量】(223)
【融　点】27
【沸　点】677
【密　度】—
【存在度】［地球］—
　　　　　［宇宙］—
【存在場所】ウラン鉱石（ピッチブレンド）（カナダ，ロシアなど）
【価　格】—
【発見者】ペレー（フランス）
【発見年】1939年

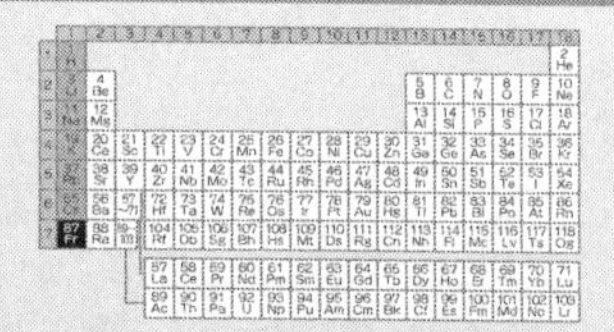

元素名の由来

フランス（france）。

発見時のエピソード

アクチニウムの崩壊によって生成する放射性元素として発見されました。元素発見の歴史に名を残した女性研究者は，マリー，^{30}Pを人工合成したマリーの娘イレーヌ・ジョリオ・キュリー，マルグリットと，レニウムを発見したイーダ・タッケ（ノダック夫人）の4人です。

金属（固体）　金属（液体）　非金属（固体）　非金属（液体）

ラジウム
Radium

0.0000006ppm

ラジウムは安定同位体は存在せず，すべて放射性同位体です。1898年にキュリー夫妻が発見した元素です。しかし，キュリー夫人はラジウムの放射線に被曝し，白血病で亡くなっています。

また，かつては夜光塗料として，時計の文字盤にラジウムが使われていましたが，アメリカの時計工場の工員が次々とがんになる被害がありました。このようなことから，現在は工業的な用途で使われることはありません。

基礎データ

【陽子数】88　【価電子数】2
【原子量】(226)
【融　点】700
【沸　点】1140
【密　度】5
【存在度】［地球］0.0000006ppm
［宇宙］—
【存在場所】ウラン鉱石（ピッチブレンド）
（カナダ，ロシアなど）
【価　格】—
【発見者】キュリー夫妻（フランス）
【発見年】1898年

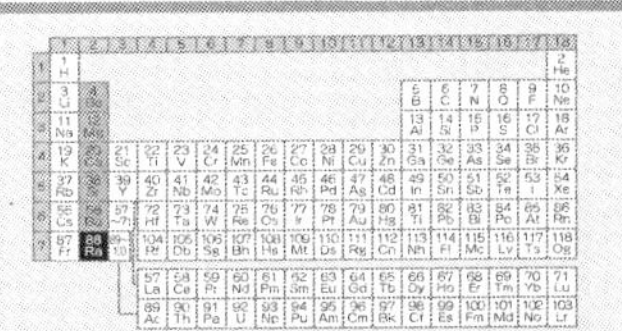

元素名の由来

ラテン語の「放射線（radius）」。

発見時のエピソード

ウラン鉱石から，ウランより強い放射性をもつ，バリウムに似た新元素として分離されました。

アクチニウム
Actinium

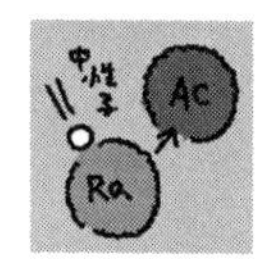

アクチニウムは放射性を有する銀白色の金属元素です。暗い場所で青白く光る特性があります。また，天然に存在する放射性元素で，ウラン鉱石にわずかに含まれています。存在量が少なく，強い放射線を発することから，研究以外の用途はありません。

アクチニウムは，ラジウムに中性子をぶつけてつくられます。発見者のドビエルヌは，キュリー夫妻と親交のあったフランスの科学者です。

アルファ線を出し，半減期約10日のアクチニウム225は，がんの治療薬の開発を目指して研究が進められています。

基礎データ

【陽子数】89　【価電子数】—
【原子量】(227)
【融　点】1050
【沸　点】3200
【密　度】10.06
【存在度】［地球］—
［宇宙］—
【存在場所】ウラン鉱石（ピッチブレンド）（カナダなど）
【価　格】—
【発見者】ドビエルヌ（フランス）
【発見年】1899年

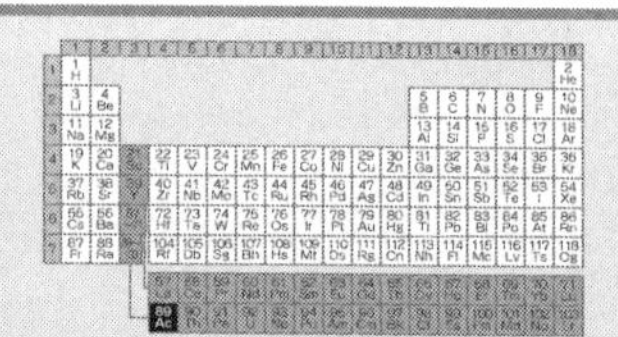

元素名の由来

ギリシア語の「放射線，光（aktis）」。

発見時のエピソード

キュリー夫妻がポロニウムとラジウムを分離した後のピッチブレンドから，強い放射性をもつ元素として発見されました。

金属（固体）　金属（液体）　非金属（固体）　非金属（液体）

トリウム
Thorium

12ppm

トリウムは銀白色の金属です。同位体はすべて放射性で，安定同位体はありません。トリウムは豊富に存在するため，原子力発電への利用が考えられています。

化合物の二酸化トリウムは，融点が高く，耐火性にすぐれています。その特性を生かして，るつぼの材料などに利用されています。また，見かける機会は少なくなりましたが，ガス灯のマントルとばれる発光体の繊維にトリウムが含まれています。

基礎データ

【陽子数】90　【価電子数】—
【原子量】232.0377
【融　点】1750
【沸　点】4790
【密　度】11.72
【存在度】［地球］12ppm
［宇宙］0.0335
【存在場所】モナズ石，トール石（カナダ，オーストラリアなど）
【価　格】—
【発見者】ベルセーリウス（スウェーデン）
【発見年】1828年

元素名の由来

北欧神話の雷神，「トール」。

発見時のエピソード

ベルセーリウスが，スウェーデンの海岸でみつかった重い黒石（トール石）を分析して発見しました。

プロトアクチニウム
Protactinium

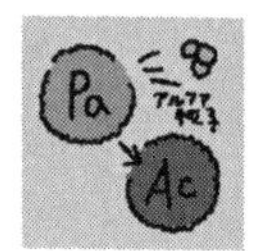

プロトアクチニウムは放射性の元素で，31種の同位体が知られています。3種が天然に存在し，そのほかは人工的につくられたものです。安定同位体はありません。

崩壊してアクチニウムになることから，「前」という意味の「プロト」をつけて，「プロトアクチニウム」と名づけられました。化学的性質はタンタルに似ています。

研究用以外では，海底沈積層の年代測定に利用されます。

基礎データ

【陽子数】91　【価電子数】—
【原子量】231.03588
【融　点】1840
【沸　点】—
【密　度】15.37（計算値）
【存在度】［地球］—
［宇宙］—
【存在場所】ウラン鉱石（ピッチブレンド）
【価　格】—
【発見者】ハーン（ドイツ）とマイトナー（オーストリア）
ソディとクランストン
（ともにイギリス）
【発見年】1918年

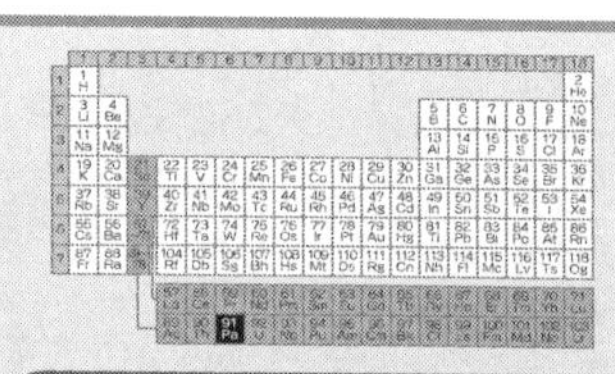

元素名の由来

アクチニウムの前（プロト）。

発見時のエピソード

メンデレーエフが予言した元素。元素がアルファ崩壊してアクチニウム227となることから発見。

ウランが放射性元素であることを1896年に発見したのは，フランスのベクレルでした。その2年後にキュリー夫妻がラジウムを発見して，放射性元素の化学的研究がスタートしました。

ウランの同位体はいくつか知られており，すべて放射性です。ウランの原子核に中性子を当てると，核分裂をおこし，エネルギーが発生します。このような核分裂連鎖反応を持続させることで，一挙に莫大なエネルギーを得るのが原子力発電所です。

19世紀半ばには，ガラスにウランを混ぜたウランガラスでコップや花瓶などがつくられました。アンティークとして人気があります。

基礎データ

【陽子数】92　　【価電子数】—
【原子量】238.02891
【融　点】1132.3
【沸　点】3745
【密　度】18.950（α）
【存在度】［地球］2.4ppm
［宇宙］0.0090
【存在場所】ピッチブレンドなど
（カザフスタンなど）
【価　格】—
【発見者】クラプロート（ドイツ）
【発見年】1789年

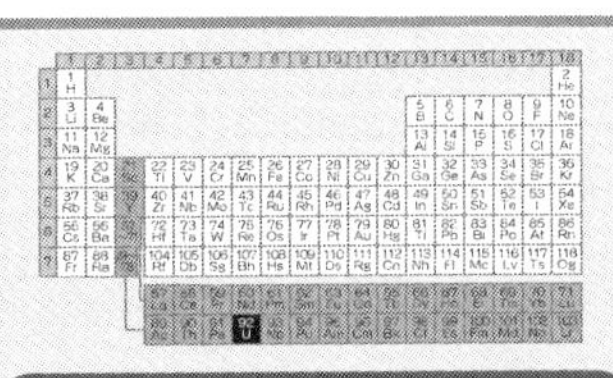

元素名の由来

天王星（uranus）。

発見時のエピソード

クラップロートが発見したのはウランの酸化物でした。金属ウランはその50年後に得られました。

非金属（気体）　地殻に含まれる割合　人工元素

ネプツニウム
Neptunium

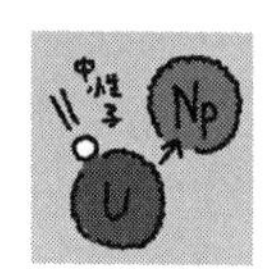

　ネプツニウム以降の元素は人工的に合成されたもので，「超ウラン元素」とよばれます。ネプツニウムは，ウランに中性子を当ててつくられました。原子力発電所の使用済み核燃料にもネプツニウムが含まれています。

　ネプツニウムは，プルトニウムの製造用に使用されています。周期表でウランの次に位置するので，太陽系の星で「天王星（Uranus）」の外側を周回する「海王星（Neptune）」から名づけられました。

基礎データ

【陽子数】93　【価電子数】—
【原子量】(237)
【融　点】640
【沸　点】3900
【密　度】20.25（α）
【存在度】［地球］—
［宇宙］—
【存在場所】ウラン鉱
（カナダ，オーストラリア，ロシア）
【価　格】—
【発見者】マクミラン，アベルソン
（ともにアメリカ）
【発見年】1940年

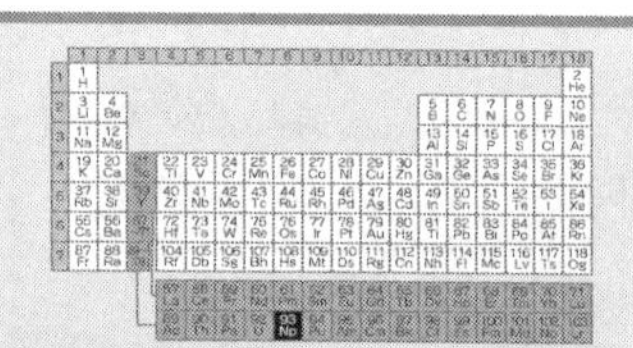

元素名の由来

海王星（Neptune）。

発見時のエピソード

1952～1953年に，ウラン鉱石からネプツニウムとプルトニウムが発見されました。

金属（固体）　金属（液体）　非金属（固体）　非金属（液体）

プルトニウム
Plutonium

プルトニウムは，ウランに重陽子を照射して人工的に生成された元素です。ウランのように，核分裂反応をおこすので，原子力発電の核燃料として使用されます。ほかには，プルトニウムが発する熱を電力として利用する原子力電池に使われ，人工衛星などに搭載されています。

周期表でネプツニウムの次に位置するので，海王星（Neptune）の外側を周回する冥王星（Pluto）から名づけられました。

基礎データ

【陽子数】94　【価電子数】—
【原子量】(244)
【融　点】641
【沸　点】3232
【密　度】19.84
【存在度】［地球］—
［宇宙］—
【存在場所】ウラン鉱
（カナダ，オーストラリア，ロシア）
【価　格】—
【発見者】シーボーグ，マクミラン，ケネディ，ワール（いずれもアメリカ）
【発見年】1940年

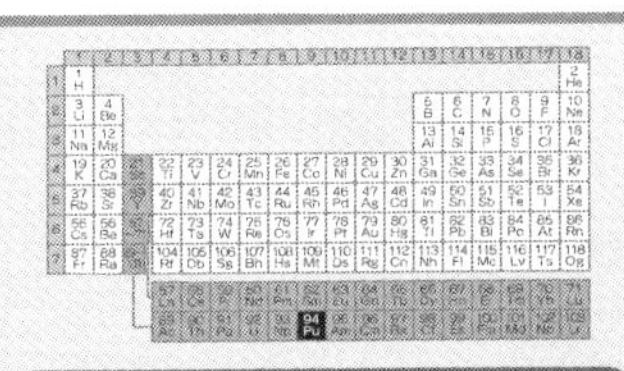

元素名の由来

冥王星（Pluto）。

発見時のエピソード

ネプツニウム238のベータ崩壊の生成物として発見されました。

アメリシウム
Americium

アメリシウムは，プルトニウムに中性子を照射することで生成された元素です。プルトニウムの副産物として安価に得られるため，工業利用がされています。放射線によって厚さを測る計測器や煙感知器のセンサーなどに使われています。

「アメリシウム」の名称は，発見された場所のアメリカ大陸に由来します。なお，93番から106番までの元素は，アメリカのカリフォルニア大学のグループによる発見です。

基礎データ

【陽子数】95　【価電子数】—
【原子量】(243)
【融　点】1172
【沸　点】2607
【密　度】13.67
【存在度】［地球］0ppm
［宇宙］—
【存在場所】プルトニウムからつくられる
【価　格】—
【発見者】シーボーグ，ジェームズ，モーガン，ギオルソ（いずれもアメリカ）
【発見年】1945年

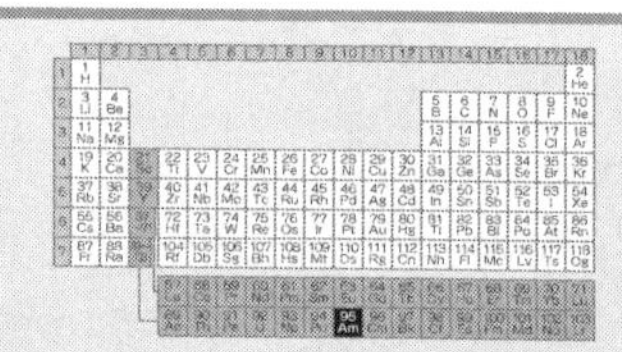

元素名の由来

アメリカ（America）。

発見時のエピソード

周期表の真上のユーロピウムがヨーロッパに由来するため，アメリカ大陸に由来するアメリシウムと名づけられました。

金属（固体）　金属（液体）　非金属（固体）　非金属（液体）

キュリウム
Curium

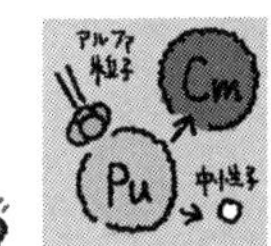

キュリウムは，プルトニウムにアルファ粒子（ヘリウムの原子核）を照射することで生成された元素です。かつては原子力電池のエネルギー源として用いられましたが，現在はその役割をプルトニウムにとってかわられ，研究用以外の用途はほとんどありません。

元素名は，放射能研究に名を残したキュリー夫妻に由来します。周期表で真上に位置する「ガドリニウム」が人名に由来することから，同様に人名を用いたのだといいます。

基礎データ

【陽子数】96　【価電子数】—
【原子量】(247)
【融　点】1340
【沸　点】—
【密　度】13.3
【存在度】［地球］0ppm
［宇宙］—
【存在場所】原子炉
【価　格】—
【発見者】シーボーグ，ジェームズ，ギオルソ（いずれもアメリカ）
【発見年】1944年

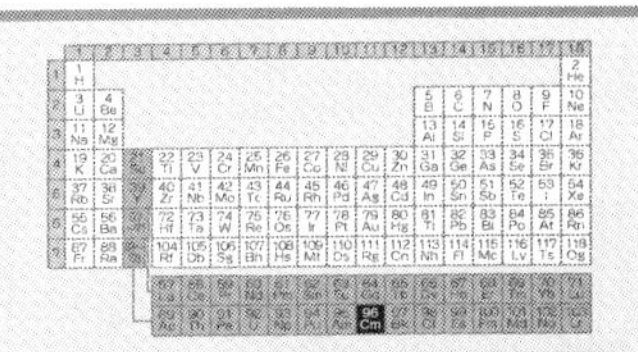

元素名の由来

キュリー夫妻。

発見時のエピソード

キュリウムの同位体は19種類発見され，すべて放射性です。

バークリウム

アメリシウムにアルファ粒子を照射することで生成された元素です。元素名は元素が生成された場所であるアメリカの「バークレー」に由来します。カリフォルニア大学バークレー校の研究チームが発見しました。

バークリウムは強い放射線を放出するため非常に危険で，研究以外の用途はありません。アメリカでこれまでに生成されたバークリウムの量は，1グラムをこえた程度といわれています。

基礎データ

【陽子数】97　【価電子数】—
【原子量】(247)
【融　点】1047
【沸　点】—
【密　度】14.79
【存在度】［地球］0ppm
　　　　　［宇宙］—
【存在場所】原子炉
【価　格】—
【発見者】トンプソン，ギオルソ，シーボーグ（いずれもアメリカ）
【発見年】1949年

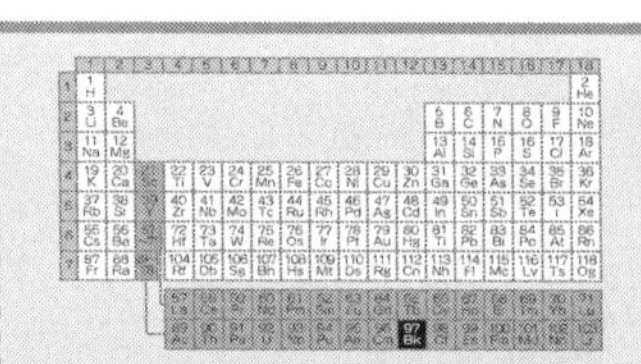

元素名の由来

アメリカのバークレー。

発見時のエピソード

周期表の真上のテルビウムがスウェーデンの地名に由来するため，バークレーに由来するバークリウムと名づけられました。

金属（固体）　金属（液体）　非金属（固体）　非金属（液体）

カリホルニウム
Californium

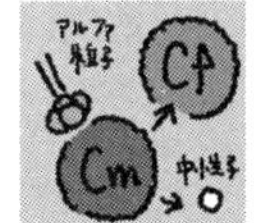

キュリウムにアルファ粒子を照射することで生成された元素です。カリホルニウムは中性子を放出するので，原子炉で使う中性子のもとになります。また，カリホルニウムの中性子を用いて，油田の地下を探ったり，航空機の内部を確認したりする非破壊検査も行われています。カリホルニウムは産業利用できる最も重い元素といわれています。

元素名は研究チームが属する大学名および発見場所の州名に由来します。

基礎データ

【陽子数】98　【価電子数】―
【原子量】(251)
【融　点】900
【沸　点】―
【密　度】―
【存在度】［地球］0ppm
［宇宙］―
【存在場所】原子炉
【価　格】―
【発見者】トンプソン，ストリート，ギオルソ，シーボーグ（いずれもアメリカ）
【発見年】1950年

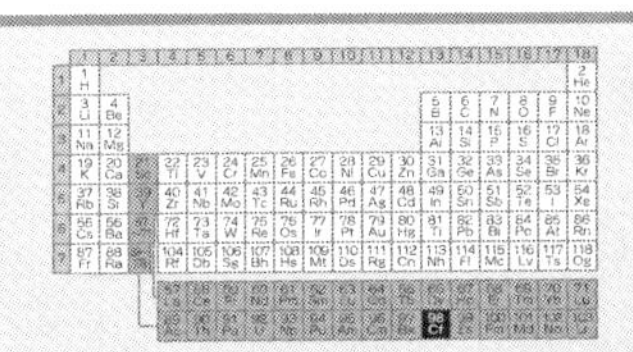

元素名の由来

カリフォルニア（大学名および州名）

発見時のエピソード

カリホルニウムの同位体は20種類発見され，すべて放射性です。

アインスタイニウム
Einsteinium

1952年に行われた水爆実験で発見された元素です。実験で舞い上がった原子雲に含まれる物質を，飛行機に取りつけたフィルターで回収し，分析したところ新しい元素が見つかったのです。用途は研究用に限られます。

実験は軍事機密だったため，新元素の発見が公表されたのは1955年になってからでした。名前をつけるにあたって，同年に亡くなった偉大な物理学者アインシュタインに敬意を表して，その名が用いられました。

基礎データ

【陽子数】99　【価電子数】—
【原子量】(252)
【融　点】860
【沸　点】—
【密　度】—
【存在度】［地球］0ppm
［宇宙］—
【存在場所】原子炉
【価　格】—
【発見者】ハーベー(イギリス)，シーボーグ，ショパン，トンプソン，ギオルソ(いずれもアメリカ)
【発見年】1952年

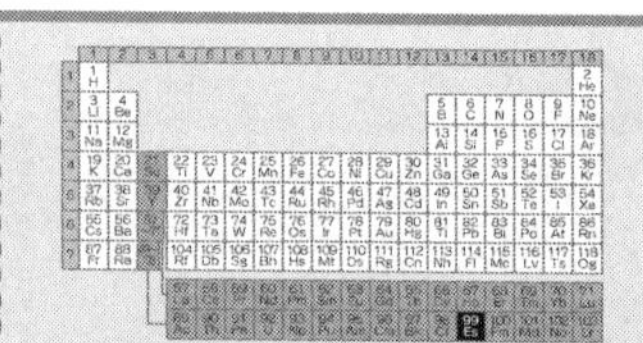

元素名の由来

物理学者のアインシュタイン。

発見時のエピソード

アインスタイニウムの同位体は22種類あり，すべて放射性です。

金属(固体)　金属(液体)　非金属(固体)　非金属(液体)

フェルミウム
Fermium

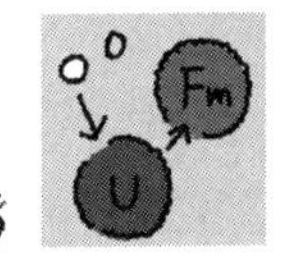

アインスタイニウムと同じく，1952年の水爆実験で発見された元素です。その後，研究グループは1953～1954年に，ウランに酸素イオンを衝突させて人工的に生成することに成功しました。原子炉で製造可能な最大の元素ですが，すぐに壊れてしまいます。研究用途のみに使われています。

水爆の設計者が，イタリアの原子物理学者フェルミの教え子だったことから，その名が用いられました。

基礎データ

【陽子数】100　【価電子数】—
【原子量】(257)
【融　点】—
【沸　点】—
【密　度】—
【存在度】[地球]0ppm
[宇宙]—
【存在場所】原子炉
【価　格】—
【発見者】シーボーグ，トンプソン，ギオルソら（いずれもアメリカ）
【発見年】1952年

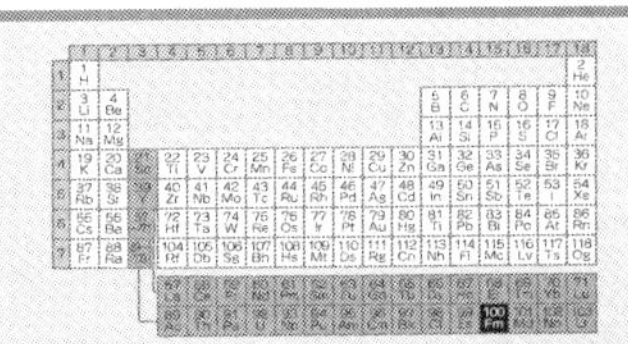

元素名の由来

原子物理学者のフェルミ。

発見時のエピソード

フェルミウムの同位体は21種類が発見され，すべて放射性です。

メンデレビウム
Mendelevium

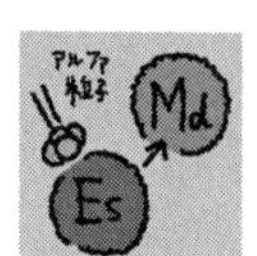

加速器で，アインスタイニウムにアルファ粒子を照射することで生成された元素です。すべて放射性同位体で，すぐに崩壊してしまうため，物理的・化学的な性質はよくわかっていません。研究用として使用されています。メンデレビウム以降の元素は非常に重く，重元素とよばれます。

元素名は周期表をつくったロシアの化学者メンデレーエフが由来です。元素記号は当初Mvでしたが，のちにMdになりました。

基礎データ

【陽子数】101　【価電子数】—
【原子量】(258)
【融　点】—
【沸　点】—
【密　度】—
【存在度】[地球]0ppm
[宇宙]—
【存在場所】加速器で合成
【価　格】—
【発見者】ショパン，トンプソン，ギオルソ，シーボーグ(いずれもアメリカ)らの研究チーム
【発見年】1955年

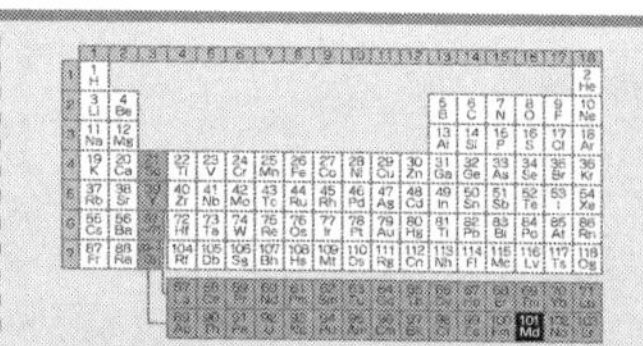

元素名の由来

化学者のメンデレーエフ。

発見時のエピソード

同位体は22種類あり，すべて放射性です。フェルミウムよりも大きい元素は加速器でつくられます。

金属(固体)　金属(液体)　非金属(固体)　非金属(液体)

ノーベリウム
Nobelium

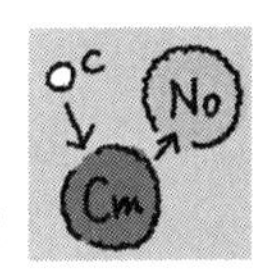

加速器で，キュリウムに炭素イオンを照射することで生成された元素です。

1957年に，スウェーデンのノーベル研究所が発見し，研究所名にもなっている科学者ノーベルから，ノーベリウムと名づけました。しかし，アメリカのグループが追試を行ったところ確認できませんでした。1958年に，アメリカのグループは別の方法で生成に成功しましたが，元素名はそのまま用いることにしたのです。

基礎データ

【陽子数】102　【価電子数】—
【原子量】（259）
【融　点】—
【沸　点】—
【密　度】—
【存在度】［地球］0ppm
［宇宙］—
【存在場所】加速器で合成
【価　格】—
【発見者】シーボーグ，ギオルソら（ともにアメリカ）
【発見年】1958年

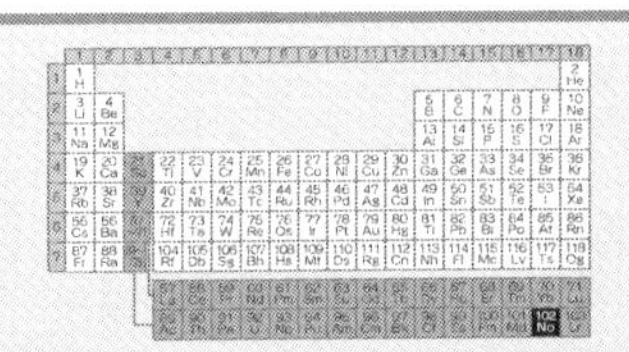

元素名の由来

化学者のノーベル。

発見時のエピソード

ノーベリウムの同位体は14種類発見され，すべて放射性です。

ローレンシウム

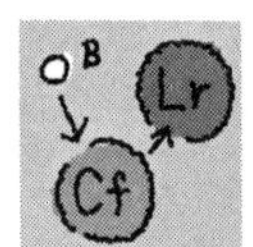

加速器で，カリホルニウムの三つの同位体の混合物に，ホウ素イオンを照射することで生成された元素です。1961年に発見されました。1965年には，アメリシウムに酸素を照射して同位体が生成されています。

元素名は，サイクロトロンという加速器を発明したアメリカの物理学者ローレンスが由来です。ローレンスは，元素の合成に欠かせない加速器を実用化させた人物として知られています。

基礎データ

【陽子数】103　【価電子数】—
【原子量】(266)
【融　点】—
【沸　点】—
【密　度】—
【存在度】[地球]0ppm
　　　　　[宇宙]—
【存在場所】加速器で合成
【価　格】—
【発見者】ギオルソ(アメリカ)ら
【発見年】1961年

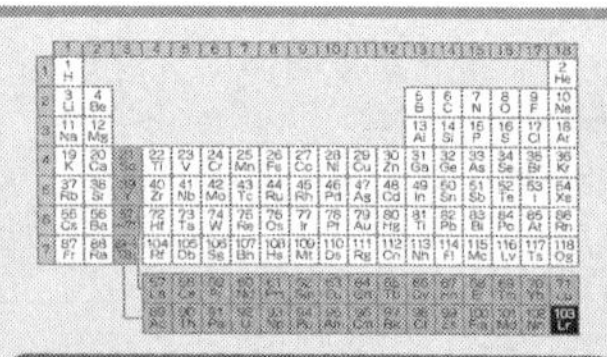

元素名の由来

物理学者のローレンス。

発見時のエピソード

ローレンシウムの同位体は14種類あり，すべて放射性です。最近，この元素の電子構造が議論されています。

金属(固体)　金属(液体)　非金属(固体)　非金属(液体)

ラザホージウム
Rutherfordium

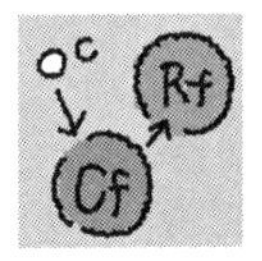

加速器で，カリホルニウムに炭素を照射することで生成された元素です。ラザホージウムの物理的・化学的性質はよくわかっていませんが，化学的挙動がハフニウムやジルコニウムに似ているとされます。

ラザホージウムは，アメリカとソ連（旧ソビエト連邦）の研究グループがそれぞれ発見しました。なかなか元素名が統一されなかったものの，1997年に，アメリカ側の案に統一されました。イギリスの物理学者のラザフォードに由来します。

基礎データ

【陽子数】104

【価電子数】—

【原子量】（267）

【融　点】—

【沸　点】—

【密　度】23（計算値）

【存在度】［地球］0ppm
［宇宙］—

【存在場所】加速器で合成

【価　格】—

【発見者】シルヴァ，ギオルソ（アメリカ）らの研究チーム

【発見年】1969年

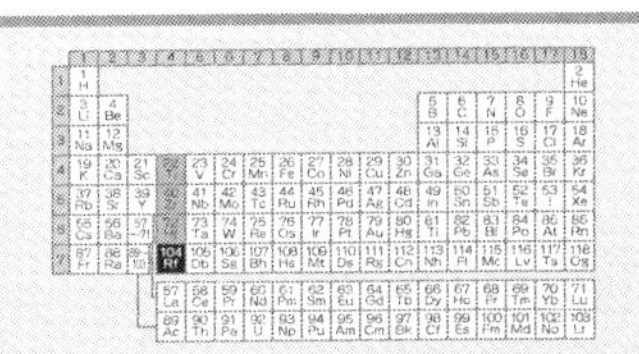

元素名の由来

物理学者のラザフォード。

発見時のエピソード

ラザホージウムの同位体は15種類あり，すべて放射性です。

ドブニウム
Dubnium

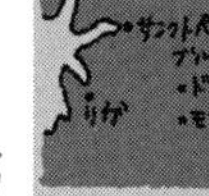

ソ連のフロレフらと，アメリカのギオルソらが，1970年の同時期に発見した元素です。フロレフらはアメリシウムにネオンをぶつけて生成し，ギオルソらはカリホルニウムに窒素をぶつけて生成しました。

命名をめぐって長らく論争となりましたが，1997年になってようやく「ドブニウム」に決まりました。フロレフが属するドブナ合同原子核研究所のある「ドブナ」という地名に由来します。

基礎データ

【陽子数】105　　【価電子数】—
【原子量】（268）
【融　点】—
【沸　点】—
【密　度】29
【存在度】［地球］0ppm
［宇宙］—
【存在場所】加速器で合成
【価　格】—
【発見者】フレロフ（旧ソ連）らの研究チーム，ギオルソ（アメリカ）らの研究チーム
【発見年】1970年

元素名の由来

ロシアのドブナ。

発見時のエピソード

ドブニウムの同位体は15種類発見され，すべて放射性です。

金属（固体）　金属（液体）　非金属（固体）　非金属（液体）

106
Sg シーボーギウム
Seaborgium

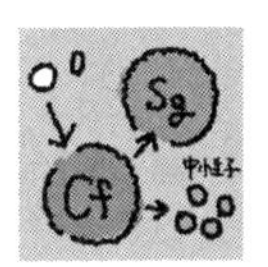

加速器で，カリホルニウムに酸素をぶつけて生成された元素です。その性質はよくわかっておらず，研究用に使用されています。

ドブニウムと同様に，アメリカのグループとソ連のグループが同時期に発見し，命名をめぐって論争となりました。元素名は，プルトニウムやアメリシウムなど，九つの元素を合成したアメリカの化学者シーボーグに由来します。存命中の人物の名が用いられた，はじめての例です。

基礎データ

【陽子数】106　　【価電子数】—
【原子量】（271）
【融　点】—
【沸　点】—
【密　度】35（計算値）
【存在度】［地球］0ppm
［宇宙］—
【存在場所】加速器で合成
【価　格】—
【発見者】ギオルソ（アメリカ）らの研究チーム
【発見年】1974年

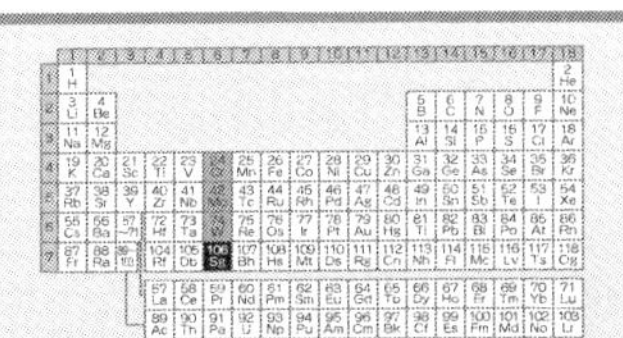

元素名の由来

化学者のシーボーグ。

発見時のエピソード

シーボーグは「アクチノイド元素」の命名者です。同位体は13種類あり，すべて放射性です。

ボーリウム
Bohrium

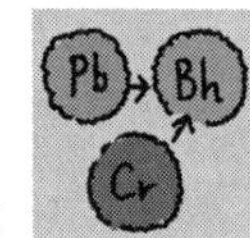

加速器で，鉛とクロムの原子核反応によって生成された元素です。物理的・化学的性質はよくわかっておらず。主に研究用に使用されています。この107番の元素以降は，ドイツの研究チームによる発見がつづきます。

元素名は，量子力学の確立に大きく貢献したデンマークの物理学者ボーアに由来します。当初，ファーストネームを加えた「ニールスボーリウム」も提案されましたが，従来どおりファミリーネームだけとなりました。

基礎データ

【陽子数】107　【価電子数】—
【原子量】(270)
【融　点】—
【沸　点】—
【密　度】37(計算値)
【存在度】［地球］0ppm
［宇宙］—
【存在場所】加速器で合成
【価　格】—
【発見者】アームブラスター，ミュンツェンベルク(ともにドイツ)らの研究チーム
【発見年】1981年

元素名の由来

物理学者のボーア。

発見時のエピソード

ボーリウムの同位体は12種類が発見され，すべて放射性です。2000年にボーリウムの酸化物が合成されています。

ハッシウム
Hassium

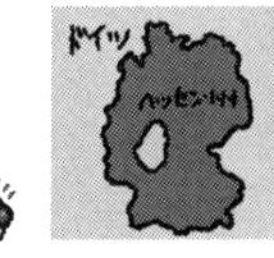

加速器で，鉛に鉄イオンを衝突させて生成された元素です。元素は，陽子あるいは中性子が特定の数のときに，安定すると考えられていました。その数を魔法数といいます。ハッシウムの108という陽子数も魔法数と考えられていましたが，すぐに崩壊してしまいます。魔法数が大きくなると安定しないようです。

元素名は，発見したグループの研究所があるドイツのヘッセン州（古名ハッシア）に由来します。

基礎データ

【陽子数】108　【価電子数】—
【原子量】（277）
【融　点】—
【沸　点】—
【密　度】41（計算値）
【存在度】［地球］0ppm
［宇宙］—
【存在場所】加速器で合成
【価　格】—
【発見者】アームブラスター，ミュンツェンベルク（ともにドイツ）らの研究チーム
【発見年】1984年

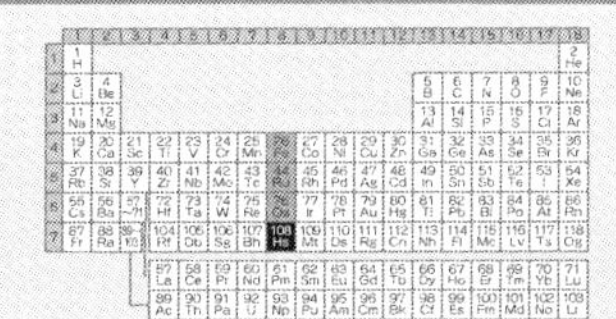

元素名の由来

ドイツのヘッセン。

発見時のエピソード

ハッシウムの同位体は15種類あり，すべて放射性です。2002年にハッシウムの四酸化物が合成されています。

マイトネリウム
Meitnerium

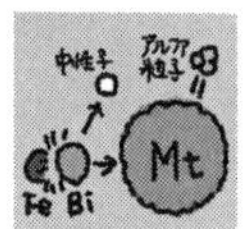

加速器で，ビスマスに鉄の原子核を衝突させて生成された元素です。化学的性質はよくわかっていません。

元素名は，オーストリアの女性物理学者マイトナーに由来します。発見されたのは1982年ですが，名前が確定したのは1997年でした。これは，名前に異論があったわけではなく，検証に時間がかかったためです。元素名に女性の名前が使われるのは，マリー・キュリーとリーゼ・マイトナーの2人だけです。

基礎データ

【陽子数】109　【価電子数】—
【原子量】(278)
【融　点】—
【沸　点】—
【密　度】—
【存在度】［地球］0ppm
［宇宙］—
【存在場所】加速器で合成
【価　格】—
【発見者】アームブラスター，ミュンツェンベルク（ともにドイツ）らの研究チーム
【発見年】1982年

元素名の由来

物理学者のマイトナー。

発見時のエピソード

原子1個が合成されました。同位体は8種類が発見されています。

金属（固体）　金属（液体）　非金属（固体）　非金属（液体）

ダームスタチウム
Darmstadtium

加速器で鉛にニッケルイオンを照射して生成された元素です。化学的性質はわかっていませんが，銀色あるいは灰色の金属と推定されています。

元素名は，元素を発見したグループの研究所があるドイツのヘッセン州にある「ダルムシュタット」という町に由来します。命名された当初，日本では町の名前のように「ダルムスタチウム」とよばれていましたが，2004年から現在の名称になりました。

基礎データ

【陽子数】110　【価電子数】—
【原子量】(281)
【融　点】—
【沸　点】—
【密　度】—
【存在度】[地球]0ppm
[宇宙]—
【存在場所】加速器で合成
【価　格】—
【発見者】アームブラスター，ホフマン(ともにドイツ)らの研究チーム
【発見年】1994年

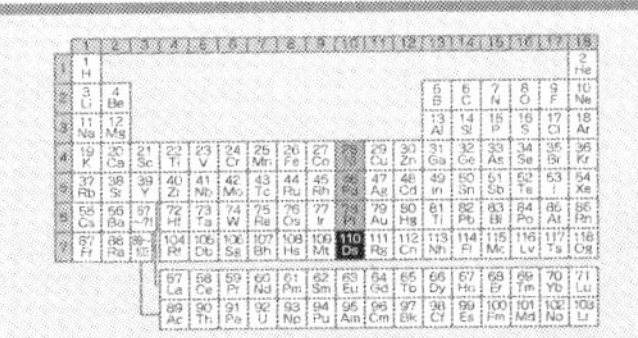

元素名の由来

ドイツのダルムシュタット。

発見時のエピソード

原子3個が合成されました。さらに原子14個が日本の理化学研究所でつくられました。同位体は10種類が発見されています。

レントゲニウム
Roentgenium

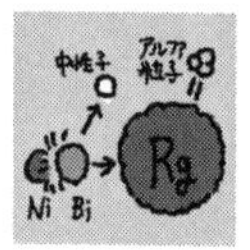

加速器で，ビスマスにニッケルを衝突させて合成された元素です。ドイツの研究グループが発見したとき，わずか100分の1秒しか存在できない元素で，「十分な証拠がない」と主張する研究グループもいました。しかし，ドイツのグループは再び同じ元素をつくり，新元素と認められました。

ドイツの物理学者レントゲンがX線を発見してからおよそ100年後のことだったので，レントゲニウムという元素名になりました。

基礎データ

【陽子数】111　【価電子数】—
【原子量】(282)
【融　点】—
【沸　点】—
【密　度】—
【存在度】[地球]0ppm
[宇宙]—
【存在場所】加速器で合成
【価　格】—
【発見者】アームブラスター，ホフマン(ともにドイツ)らの研究チーム
【発見年】1994年

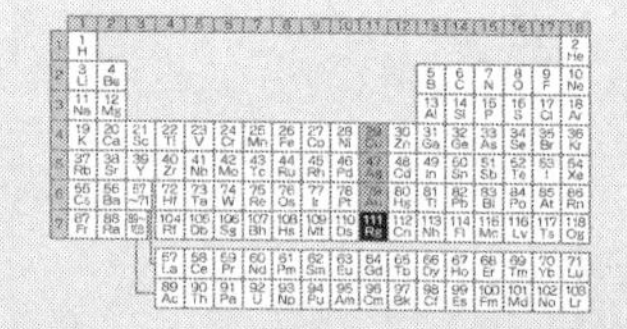

元素名の由来

物理学者のレントゲン。

発見時のエピソード

原子6個が合成され，さらに原子14個が日本の理化学研究所でつくられました。同位体は7種類が発見されています。

金属(固体)　金属(液体)　非金属(固体)　非金属(液体)

コペルニシウム
Copernicium

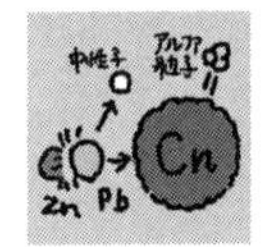

加速器で，鉛に亜鉛イオンを衝突させて合成された元素です。ドイツの研究チームが発見し，日本の理化学研究所が追試しました。

2010年2月19日，地動説を提唱したポーランド出身のコペルニクスの誕生日の日に，IUPAC（国際純正・応用化学連合）は新元素名をコペルニシウムと決定しました。元素記号は，当初Cpが検討されましたが，現在のルテチウム（Lu）がかつてカシオピウム（Cp）とよばれたことから，Cnとなりました。

基礎データ

【陽子数】112　【価電子数】—
【原子量】（285）
【融　点】—
【沸　点】—
【密　度】—
【存在度】［地球］0ppm
［宇宙］—
【存在場所】加速器で合成
【価　格】—
【発見者】アームブラスター，ホフマン（ともにドイツ）らの研究チーム
【発見年】1996年

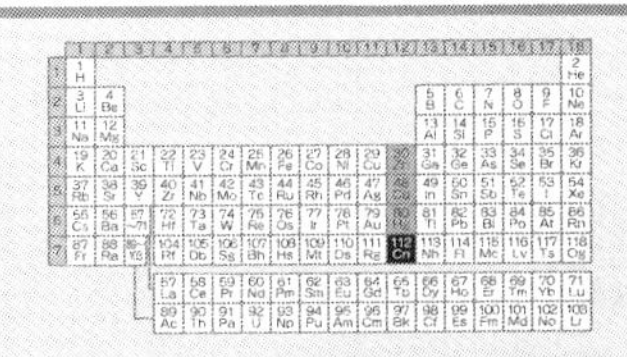

元素名の由来

天文学者のコペルニクス。

発見時のエピソード

原子2個が合成され，さらに原子2個が日本の理化学研究所でつくられました。同位体は7種類が発見されています。

ニホニウム
Nihonium

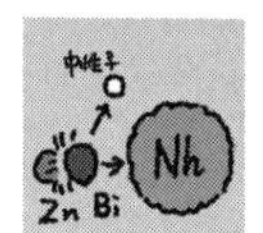

日本の理化学研究所が発見した元素です。この新元素を合成する実験は，2003年9月に開始されました。加速器で亜鉛の原子核（陽子数30）をビスマスの原子核（陽子数83）に当てつづけた結果，2004年7月に113番元素の合成がはじめて確認されました。2005年4月と2012年8月にも合成に成功しました。

理化学研究所のグループは，2015年12月に新元素の命名権を得て，2016年11月に正式に承認されました。

基礎データ

【陽子数】113　【価電子数】—
【原子量】（286）
【融　点】—
【沸　点】—
【密　度】—
【存在度】［地球］0ppm
［宇宙］—
【存在場所】加速器で合成
【価　格】—
【発見者】森田浩介を中心とする理化学研究所グループ
【発見年】2004年

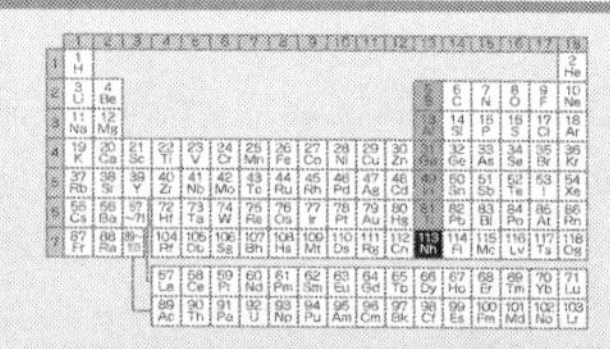

元素名の由来

アジア初となる新元素の発見で，発見国の「日本」に由来します。

発見時のエピソード

原子3個が日本の理化学研究所でつくられました。同位体は6種類が発見されています。

フレロビウム
Flerovium

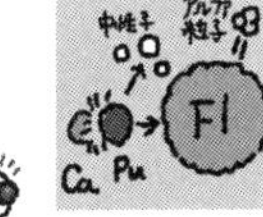

加速器で，プルトニウムにカルシウムを衝突させて合成された元素です。数カ月をかけて，ようやく1個つくれるという，つくりだすのがむずかしい元素です。化学的な性質はよくわかっていません。

2012年5月，IUPACによって正式に新元素の名前が「フレロビウム」に決定しました。新元素を発見したフレロフ原子核研究所に由来します。フレロフは，ロシアの物理学者で重イオン物理学の開拓者です。

基礎データ

【陽子数】114　【価電子数】4
【原子量】(289)
【融　点】—
【沸　点】—
【密　度】—
【存在度】[地球]0ppm
[宇宙]—
【存在場所】加速器で合成
【価　格】—
【発見者】オガネシアン(ロシア)らの研究チーム，ムーディ(アメリカ)らの研究チーム
【発見年】1999年

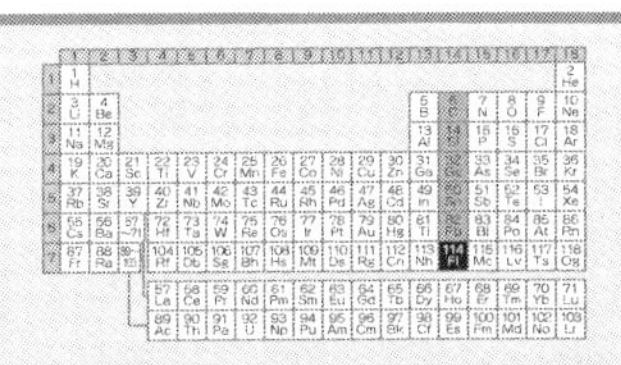

元素名の由来

新元素を発見した研究所名。

発見時のエピソード

原子3個が合成されました。同位体は6種類が発見されています。

モスコビウム
Moscovium

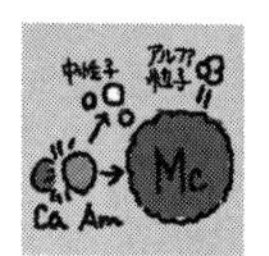

加速器で，アメリシウムにカルシウムを衝突させて合成された元素です。このとき，モスコビウムの崩壊によって，ニホニウムも同時に観測されています。

実験は，ロシアとアメリカの共同チームによって2003年に行われました。元素名は，実験場所だったドブナ合同原子核研究所があるロシアのモスクワ州に由来します。2004年には，スウェーデンの研究チームも発見しています。

基礎データ

【陽子数】115　【価電子数】—
【原子量】（290）
【融　点】—
【沸　点】—
【密　度】—
【存在度】［地球］0ppm
［宇宙］—
【存在場所】加速器で合成
【価　格】—
【発見者】ロシアとアメリカの共同研究チーム
【発見年】2003年

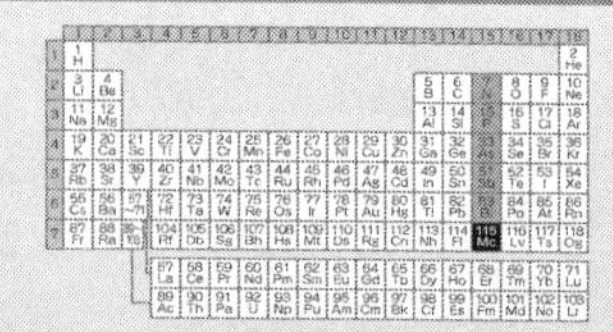

元素名の由来

ロシアのモスクワ州。

発見時のエピソード

原子7個がつくられました。同位体は4種類が発見されています。

金属（固体）　金属（液体）　非金属（固体）　非金属（液体）

リバモリウム
Livermorium

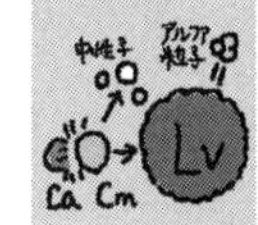

加速器で，キュリウムにカルシウムを衝突させて合成された元素です。

この元素は，1999年に一度発見が発表されましたが，のちにデータのねつ造が判明したいわくつきの元素です。2000年にロシアとアメリカの共同研究チームによってあらためて発見され，2012年にIUPACによって正式に元素名が決定されました。共同研究を行ったアメリカのローレンス・リバモア国立研究所に由来します。

基礎データ

【陽子数】116　【価電子数】6
【原子量】（293）
【融　点】—
【沸　点】—
【密　度】—
【存在度】［地球］0ppm
［宇宙］—
【存在場所】加速器で合成
【価　格】—
【発見者】オガネシアン（ロシア）らの研究チーム，ムーディ（アメリカ）らの研究チーム
【発見年】2000年

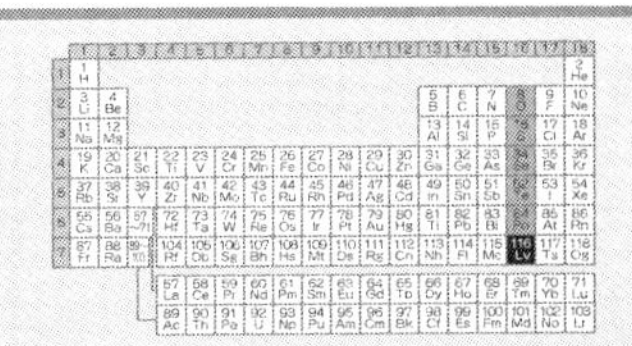

元素名の由来

新元素を発見した研究所のあるカリフォルニア州の都市リバモア。

発見時のエピソード

原子10個以上がつくられました。同位体は4種類が発見されています。

非金属（気体）　地殻に含まれる割合　人工元素

テネシン
Tennessine

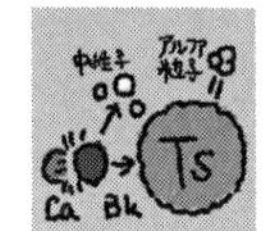

加速器で，バークリウムにカルシウムを衝突させて合成された元素です。実験はロシアの研究所が主導しましたが，バークリウムはおもにアメリカで合成されていたため，バークリウムの空輸が行われました。ロシアのドブナ合同原子核研究所で行われた実験では，成功まで7カ月を要したといいます。

元素名は，共同研究機関の一つであるアメリカのオークリッジ国立研究所があるテネシー州に由来します。

基礎データ

【陽子数】117　【価電子数】—
【原子量】(294)
【融　点】—
【沸　点】—
【密　度】—
【存在度】［地球］0ppm
［宇宙］—
【存在場所】加速器で合成
【価　格】—
【発見者】ロシアとアメリカの共同研究チーム
【発見年】2010年

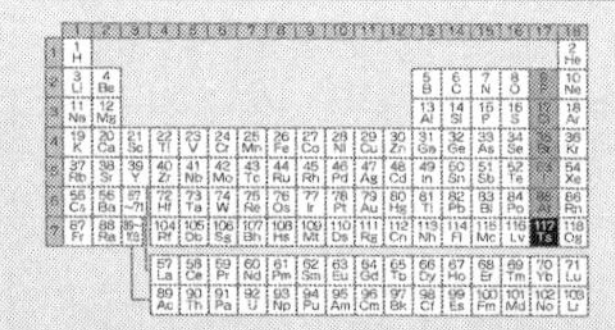

元素名の由来

アメリカのテネシー州。

発見時のエピソード

原子6個がつくられました。同位体は2種類が発見されています。

オガネソン
Oganesson

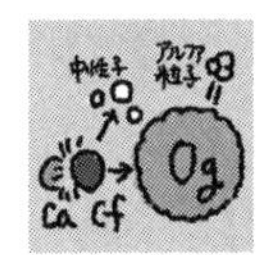

加速器で，カリホルニウムにカルシウムを衝突させて合成された元素です。1000分の1秒よりも短い時間でほかの元素に崩壊してしまいますが，現在発見されている元素のなかでは最も重い元素です。

実験は，ロシアとアメリカの合同チームで行われました。元素名は，ロシア側のリーダーのガネシアーンに由来します。周期表の18族に属することから，ほかの18族元素のように語尾に「on」がつけられています。

基礎データ

【陽子数】118　【価電子数】—
【原子量】(294)
【融　点】—
【沸　点】80 ± 30°C（推定）
【密　度】13.65g/cm³（推定）
【存在度】[地球]0ppm
[宇宙]—
【存在場所】加速器で合成
【価　格】—
【発見者】ロシアとアメリカの共同研究チーム
【発見年】2002年

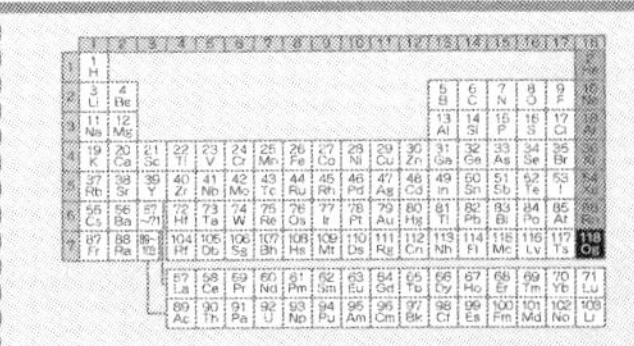

元素名の由来

ロシアの研究チームのリーダー。

発見時のエピソード

原子4個がつくられました。同位体は1種類が発見されています。

非金属（気体）　地殻に含まれる割合　人工元素

さくいん

主な内容

地球と太陽の死

80億年後，とうとう地球も太陽に飲まれる！
ガスがはがれ，ついに太陽が死をむかえる！

星の時代の終わり

材料不足。新しい星が，生まれなくなる
10^{100}年後，ブラックホールすら消えてしまう

宇宙の終わりと生まれかわり

宇宙の未来を決めるのは，「ダークエネルギー」
つぶれた宇宙が，はねかえって生まれかわる？

宇宙の突然死

何もない空間には，真空のエネルギーがある
真空崩壊の種？　極小のブラックホール

宇宙の終わりの研究

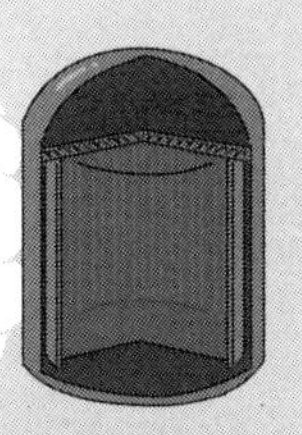

陽子崩壊を検出したい！　ハイパーカミオカンデ
未知の粒子の発見で，宇宙の終わりも変わる

Staff

Editorial Management　中村真哉
Editorial Staff　道地恵介
Cover Design　岩本陽一
Design Format　村岡志津加（Studio Zucca）

Illustration

表紙カバー	羽田野乃花さんのイラストを元に佐藤蘭名が作成
表紙	羽田野乃花さんのイラストを元に佐藤蘭名が作成
11	羽田野乃花
12～13	Newton Press・吉増麻里子
18～19	Newton Press・吉増麻里子
21	Newton Press
25	Newton Press・吉増麻里子
26～27	羽田野乃花
31	木下真一郎さんのイラストを元に，Newton Pressが作成
33	羽田野乃花
36～37	Newton Press
40～41	Newton Press
43	Newton Press
47	Newton Press
49	Newton Press
54～55	Newton Press
58～59	Newton Press・吉増麻里子
61	羽田野乃花
66～195	羽田野乃花

監修（敬称略）：
　桜井 弘（京都薬科大学名誉教授）

本書は主に，Newton 別冊『完全図解 周期表 第2版』の一部記事を抜粋し，大幅に加筆・再編集したものです。

ニュートン超図解新書
最強に面白い　周期表

2024年7月10日発行

発行人　松田洋太郎
編集人　中村真哉
発行所　株式会社 ニュートンプレス　〒112-0012 東京都文京区大塚3-11-6
https://www.newtonpress.co.jp/
電話 03-5940-2451

ISBN978-4-315-52823-7